新潮文庫

図書室の海

恩田　陸著

目次

図書室の海

春よ、こい

「――皆さんに、私から贈りたい歌があります。これから人生の春を迎える皆さんにこの歌を贈って、はなむけの言葉にしたいと思います。

ことしより春知りそむる桜花　ちるといふ事はならはざらなん」

弾《はじ》ける少女たちの喚声。校門から溢《あふ》れ出す紺の制服。坂道を降りていく二人の少女。

「ねえ、香織。山崎が最後に言ってた歌、どういう意味？」

髪の短い少女が長い方の少女に尋ねる。

「え？　ああ、古今和歌集の紀貫之《きのつらゆき》の歌よね。まだ樹齢の幼い桜の木が、今年から初めて花を咲かせた。咲くということは習っても、散ることは習わないでほしい。こんな感じかしら」

「ふうん。さすが文芸部長。あたし古典駄目だからなあ」

ふと、髪の長い方の少女が空を見上げた。

坂の途中に、一本だけ、はやばやと咲いている桜の木がある。そこからひらりと薄桃色の花びらが流れてきたのだ。

「うわー、なんでこれだけ咲いてるの？　まだこんなに寒いのに」

二人は足を止めて花に見入った。髪の長い少女がぼんやりと口を開く。

「昔って、全然人工的な色がなかったじゃない？　自然の色しか知らなかったから、花の色や緑の色って鮮やかに感じたでしょうね。怪我《けが》した時に流れる血も、今よりもずっとインパクトがあったと思うな。古今和歌集を開くと、いつも鮮やかな色彩を感じるの。春から夏、秋から冬へ、色彩のグラデーションを見られるように歌が並んでる感じがするの」

制服の肩に、花びらが落ちる。再び歩き出す二人。

少女の表情を、飛ぶ鳥の影のような不安がかすめる。

「どうしたの？」

「なんだか、おかしな感じがしたんだ。今と同じようなことをずっと前にも誰かに話したような気がして――」

「あっ、それ、デジャ・ヴってやつでしょ？　ユーミンの歌にあったもん」

「それかな」

少女は後ろを振り返る。冷たい青空に煙る薄桃色の記憶。

「香織！　香織、風邪引くわよ。うたたねしてないで眠いんなら布団《ふとん》で寝なさい」

少女はハッと目を覚ました。机の上に広げられた本。写真立ての中で笑う、制服姿の二人の少女。ああ、夢か。和恵《かずえ》と歩いてる夢を見たな。

机の上の古今和歌集。教科書や参考書を片付けているうちに、何となく読み始めていたのだ。

明日はもう卒業式かあ。あっという間の三年間だったなあ。

少女はカーディガンを羽織り直して、そっとカーテンを持ち上げた。

窓ガラスに、ほんのり枝の先が赤くなり始めた桜の木が当たっていた。静かにその上を白いものが舞っている。

春の雪だ。道理で何かの気配を感じたわけだわ。

少女はじっと闇《やみ》の中を見つめている。

「お母さん、行ってきまーす」

少女は黒い革靴を履く。手でちょっとだけ靴をこする。制服を着るのも今日で最後。学校の帰りに、近所の写真館で和恵と一緒に写真を撮る約束をしている。

「香織、マフラーしていきなさい。冷えるわよ。お母さん、もう少ししてから出るわね。式は十時からだったわね？」

「いらなーい、いい天気だもん。じゃ、あとでね」

マフラーを手にした母が廊下の奥で手招きをしているが、少女は逃げ出すように玄関を出る。ひんやりとした空気。新しい空気。堅い色の青空。不思議な気持ちでバス停への道を小走りに歩く。目の前に投げ出されている未来。

バスが来るのが見える。少女は足を速める。

バスと競争して走るのも最後だ。ふと、バスの後ろにトラックが見える。トラックがバスに追突する。バスが見る見るうちに大きくこちらに迫ってくる。すぐそこに、手を伸ばせば届きそうなところに、とても大きく。

「――皆さんに、私から贈りたい歌があります。これから人生の春を迎える皆さん、いずれは、次の命をはぐくむ皆さんに、この歌を贈って、はなむけの言葉にしたいと思います。

　春ごとに花のさかりはありなめど　あひみん事はいのちなりけり」


弾ける少女たちの喚声。校門から溢れ出す紺の制服。坂道を降りていく二人。

「ねえ、香織。山崎が最後に言ってた歌、どういう意味？」

　髪の短い少女が、長い方の少女に尋ねる。

「え？　ああ、古今和歌集の歌よね。春が来るたびに花は咲くけれども、その花に出会えるのは命あっての事であったよ、って意味だったと思うけど」

「ふうん。さすが文芸部長。あたし古典駄目だからなあ」

　ふと、髪の長い方の少女が空を見上げた。

　坂の途中に、一本だけ早々と咲いている桜の木がある。そこからひらりと薄桃色の花びらが流れてきたのである。

「うわー、なんでこれだけ咲いてるの？　まだこんなに寒いのに」

　二人は足を止めて花に見入った。髪の長い少女がぼんやりと口を開く。

「昔って、全く人工的な色がなかったわけじゃない？　自然の色しか知らなかったから、みんな微妙な違いも見逃さなかったし、花の色を始めとして自然の中の色を、今よりもずっと新鮮に感じたでしょうね。怪我した時に流れる血も、今よりもずっとインパクトがあったと思うな。古今和歌集を開くと、いつも鮮やかな色彩を感じるの。四季の歌のところなんて、絵巻物のように色彩のグラデーションを感じるの」

　制服の肩に、花びらが落ちる。再び歩き出す二人。

　少女の表情を、飛ぶ鳥の影のような不安がかすめる。

「どうかしたの？」

「なんだか、おかしな感じがしたんだ。今と同じようなことをずっと前にも誰かに話したような気がして」

「あっ、それ、デジャ・ヴってやつでしょ？　ユーミンの歌にあったもん」

「それなのかな」

「あたしも時々感じるよ。ね、ちょっと急ごう。写真屋さんの予約時間が来ちゃう」

　少女は後ろを振り返る。冷たい青空に煙る薄桃色の記憶。

　緊張した表情の二人。

　髪の長い少女は、赤いびろうどを張った椅子《いす》に腰掛けている。その後ろに、髪の短い少女が立つ。

「はい、立っている方のお嬢さん、少し顎《あご》を引いて。あ、それは引き過ぎ。うん、それくらいでいいですよ。座ってる方のお嬢さんは、膝《ひざ》の上の手をもうちょっとピンと伸ばしてください。はい、オーケーです。撮りますよ」

てきぱきとした声で指示を出されて、二人はぎくしゃくと顔や手を動かす。

フラッシュ。

「もう一枚撮ります」

息を詰める二人。フラッシュ。大きな溜《た》め息《いき》。顔を見合わせて、照れくささを隠すように笑う。

永遠に焼き付けられた一瞬。

「あたしさあ、将来自分に娘が産まれたら、香織って名前付けるよ」

店を出たところで、髪の短い娘がぽつんと呟《つぶや》く。髪の長い方があはっ、と笑う。

「そうお？　じゃあ、あたしは和恵って付けるね」

「覚えてるかな」

「だいじょうぶ、覚えてるよ」

雑踏の中に歩き出す二人。

「和恵、行ってくるよ」

女はハッとする。手に水色のマフラーを持ったままぼんやりしていたことに気付く。慌《あわ》てて駆け出して玄関で夫を送り出す。また春が来る。あれから二度目の春。目にしみる堅い青空を避けるように、女は扉を閉める。そっと和室に入って、仏壇の前に座る。

制服姿で微笑《ほほえ》む少女の写真。永遠に卒業することのない娘。

あの時、なぜもっと強く引き止めなかったのだろう。寒い朝だった。なぜ、香織の首にマフラーを巻き付けてやらなかったのだろう。娘のマフラーを膝の上に置き、仏壇に供えられている古今和歌集を手に取る。栞《しおり》の挟まれたページを開く。


春ごとに花のさかりはありなめど　あひみん事はいのちなりけり

障子に明るい陽射《ひざ》しが映る。窓の外を笑いさざめく少女たちの喚声が通り過ぎる。女はぼんやりと障子を見つめる。開いたページにも柔らかな光が当たる。

咲き誇る桜。湧《わ》きおこる雲のような、むくむくと大きく膨らんだ薄桃色の塊が坂道を埋め尽くす。

あどけない、顔を紅潮させた少女たちが坂を登っていく。期待と不安に満ちた喚声。友達できるかな。あたし、人見知りするからなあ。

男の子のように短い髪の少女が、緊張した顔で坂を歩いている。

ふと、坂道の途中で立ち止まっている女の子が目に入る。

髪の長い、ひょろりと痩《や》せた子だ。

何してるんだろ、あの子。

横顔をのぞきこむと、かすかに微笑んでいるのが見えた。

片手を上げて、掌《てのひら》に桜の花びらを受け取るようにじっとしている。

「ねえ、なにしてるの？」

ひょいと言葉が飛び出していた。

少女は微笑んだ顔のままでこちらを振り返る。

「こぉんなにたくさん花が咲いているのに、全部散っちゃうなんて、すっごくもったいなくて、すっごく贅沢《ぜいたく》だと思わない？」

「ぜいたくって――」

思いがけぬ返事に、少女はきょとんとした。

「そうかもしれないけど、入学式に遅れるよ」

「ああ、そうね」

二人は自然と並んで歩き出した。


「おかあさん、ただいまぁ」

女はハッと目を覚ました。目をこすりこすり起き上がる。写真の整理をしているうちに、居眠りをしてしまった。ぱたぱたと廊下を和恵が駆けて来る音がする。ランドセルを背負ったまま、ひょいと娘がダイニングキッチンをのぞきこんだ。

「あれ、なんの写真？」

テーブルの上に広げられた写真に近寄ってきた。

「かずちゃんのはないの？」

「かずちゃんが産まれる前の古い写真なの」

少女は、大きな古びた台紙に貼《は》られた写真に興味を示した。

「これはなあに？」

「おかあさんとおかあさんのお友達が、高校を卒業する時に一緒に撮った写真よ」

「おかあさんも学校に行ってたの？」

「そうよ」

少女は不思議そうに写真を見た。今、目の前にいる母親に、スクールデイズがあったということが信じられないのだろう。あたしも昔そうだった。母にも母がいるということが理解できなかった。あれは『おばあちゃん』という固有の存在で、母の母だから『おばあちゃん』なのだということが分からなかったのだ。生命がずっと連続しているという事実を把握できたのは、いったい何歳くらいのことだっただろうか。

写真の中で、椅子に座った少女とその後ろに立った少女が微笑んでいる。この頃の無邪気な潔癖さが思い出されて、ほろ苦い。ねえ、約束を覚えてる？　女は、写真の中に立っている少女に、心の中で話しかける。

「和恵！　風邪引くよ。寝るんなら布団で寝なさい」

少女はハッと目を覚ました。机の上に広げられた本。香織に借りていた古今和歌集。ああ、なんだか変な夢を見ていたわ。香織が子供にあたしの名前を付けていた。いつかあたしにも母親になる日が来るのかしら。まだ半ば夢うつつで少女は目をこする。

うー、寒い。もう三月だっていうのに。はんてんを羽織り直してトイレに行こうと廊下に出る。曇った窓ガラスから庭が見える。

雪だ。春の雪が降ってる。桜の枝の芽がふくらみはじめていたというのに。

わずかに積もっているのか、ほっこりと庭が明るく銀色に光っている。

積もっている。時間が白く、積み重ねられている。そう考えると、雪って不思議。

深夜の廊下で、少女は寒さも忘れて雪の庭をじっと見つめている。


「お母さん、行ってきまーす」

「あら、ずいぶん早いわね、和恵。お母さんはもう少ししてから出るわ」

「うん、式、十時からだからね」

少女は頭をさっと手ぐしで撫《な》で付けて元気よく外に出る。ゆうべはあんまりよく眠れなくて、こんなに早く起きてしまった。ついに卒業。こんなにあっけないものなのか。

神々《こうごう》しく、冷たい青空。何かの区切りのような潔《いさぎよ》い空だ。

腕時計に、明るい陽射しが降り注いでいる。じっとしていられなくて出てきてしまったが、確かに早過ぎる。遠回りして、香織んちに寄って一緒に行こうかな。

少女は早足で街を歩いて行く。全《すべ》てが愛《いと》おしく、全てが懐《なつ》かしいものに見える。

遠くに、友人の髪の長い後ろ姿を見つける。

「香織ーっ」

少女は大声で叫び、道路を斜めに突っ切る。少女が振り向く。けたたましいクラクション。振り向いた少女の顔が笑顔に弾《はじ》け、次に凍りつく。

友の顔に驚いて後ろを向く。ブレーキを掛け、変な方向に曲がってくるトラック。自分のすぐ後ろにいるバスに追突する音が耳元で聞こえる。その音がたちまち彼女を飲み込む。

式典はクライマックスを迎えようとしている。こころなしか、すすり泣く声が聞こえてくるような気がする。校長の穏やかな声がしんとした講堂に響き渡る。

「――皆さんに、私から贈りたい歌があります。これから人生の春を迎え、過ぎていく時間の愛しさ、過ぎていく出会いのはかなさが分かるようになるでしょう。この歌を贈って、はなむけの言葉にしたいと思います。

けふのみと春をおもはぬ時だにも　立つことやすき花のかげかは」

ああ、古今和歌集の春歌の最後の歌だわ。少女は心の中で呟いた。春は今日限りだと思うと、なかなか花の下を離れることができない――さらさらした、自分の長い髪の感触が、何やら初めて感じるもののように思える。

少女はゆっくりと、自分の周囲の生徒を見回す。整然と並んでいる紺の制服。でも、どこか違っている。少女の視線が、他の娘たちの横顔の上を移動していく。なんだか、おかしい、誰か、大事な人がここには欠けている――あたしがいちばん親しいはずの誰か、あたしの大事な人がここにはいないのだ。いったい誰のことだったっけ？

少女は夢見るようなぼんやりとした瞳《ひとみ》を虚《うつ》ろに動かしている。

満開の桜でけむる、静かに晴れた日の坂道。時々、思い出したように気まぐれな風が、ゆったりと薄桃色の塊を揺らしている。

坂道の上から、長い髪の少女が降りて来る。

坂道の下から、短い髪の少女が登っていく。

「香織、久しぶりね」

「和恵こそ。ずいぶん暫《しばら》くぶりだわ」

少女たちは次第に足を速めて、すぐ近くまで来ると足を止めて向き合った。

「何度も何度も会っているのに、なんだかうまくいかないわね」

「うん。あたしがお母さんからマフラーを受け取れば良かったんだわ。マフラーを受け取っていれば、あたしも死なずに済んだし、そうすれば、次の時に和恵があたしを呼び止めてあたしの代わりにバスに轢《ひ》かれることもなかったのに」

「そうかなあ。じゃあ、ここは何？　なんでここは桜が満開なの？　あたしたち、まだ卒業できてないはずなのに」

「これは違うわ、入学式の時の桜よ。あたしたちが最初に出会った時の場所だわ」

「なるほど、道理であんたもまだ幼いわ」

「和恵だって」

二人は薄桃色の花びらの舞う坂道で無邪気に笑った。

「香織、子供にあたしの名前を付けてくれてありがとう」

「約束したもの」

「じゃあ、あたしが頑張ってあんたを引き止めてマフラーを巻けばいいのね」

「うん、たぶん」

「それじゃ、また」

「またね」

二人は手を振って再び別れる。もときた道を、互いに背中を向けて引き返していく。

青空に溶けていくように、桜の花が柔らかく揺れる。

「香織！　香織、風邪引くわよ。うたたねしてないで眠いんなら布団《ふとん》で寝なさい」

少女はハッと目を覚ました。机の上に広げられた本。写真立ての中で笑う、制服姿の二人の少女。ああ、夢か。和恵と坂道を歩いてる夢を見たな。

明日はもう卒業式かあ。あっという間の三年間だったなあ。

少女はカーディガンを羽織り直して、そっとカーテンを持ち上げた。

窓ガラスに、ほんのり先が赤くなり始めた桜の枝が当たっていた。静かにその上を白いものが舞っている。

春の雪だ。少し積もってるみたいだけど、夜が明けたら朝日に消えてしまうだろう。

少女はじっと闇《やみ》の中を見つめている。


「お母さん、行ってきまーす」

少女は黒い革靴を履く。手でちょっとだけ靴をこする。制服を着るのも今日で最後。学校の帰りに、近所の写真館で和恵と一緒に写真を撮る約束をしている。

「香織、マフラーしていきなさい。冷えるわよ。お母さん、もう少ししてから出るわね。式は十時からだったわね？」

マフラーを手にした母が、廊下の奥で手招きをしているが、少女は逃げ出すように玄関を出る。ひんやりとした空気。新しい空気。堅い色の青空。目の前に投げ出されている未来。

「香織！　だめよ、いらっしゃい！　春はまだまだ冷えるんだから」

母の鋭い声にびっくりした。恐ろしく真剣な表情の母が玄関のところに立っている。

少女は溜《た》め息《いき》をつく。まだまだこの人にとっては、あたしは小さな子供と同じなのだ。

「はいはい」

少女は再び玄関に入る。

母の手が伸びる。

首筋にふわりと巻かれる、水色のマフラー。

母はにっこりと安心したように微笑《ほほえ》む。その心からの笑みに、少女は一瞬きょとんとした。

ドーン、と遠くの方から何かがぶつかったような衝撃音が聞こえて、二人はびくっと外に目をやる。

「何かしら、交通事故？　結構近かったよね」

少女と母親は玄関先で寄り添って、ざわざわと野次馬が集まって来るのを見つめている。


「――皆さんに、私から贈りたい歌があります。これから人生の春を迎える皆さんにこの歌を贈って、はなむけの言葉にしたいと思います。

ことしより春知りそむる桜花　ちるといふ事はならはざらなん」


弾ける少女たちの喚声。校門から溢《あふ》れ出す紺の制服。坂道を降りていく二人の少女。

「ねえ、香織。山崎が最後に言ってた歌、どういう意味？」

髪の短い少女が、長い方の少女に尋ねる。

「え？　ああ、古今和歌集の紀貫之の歌よね。まだ樹齢の幼い桜の木が、今年から初めて花を咲かせた。咲くということは習っても、散ることは習わないでほしい。こんな感じかしら」

「ふうん。さすが文芸部長。あたし古典駄目だからなあ」

ふと、髪の長い方の少女が空を見上げた。

脳裏に、坂の上から歩いてくる少女と、坂を登っていく少女が近付いて行く場面が浮かぶ。あら？　これはいつの記憶かしら？

坂の途中に、一本だけ、はやばやと咲いている桜の木がある。そこからひらりと薄桃色の花びらが流れてきたのだ。

髪の短い少女が喚声を上げた。

「うわー、なんでこれだけ咲いてるの？　まだこんなに寒いのに」

二人は足を止めて花に見入った。髪の長い少女がぼんやりと口を開く。

「昔って、全然人工的な色がなかったじゃない？　自然の色しか知らなかったから、花の色や緑の色って相当鮮やかに感じたでしょうね。怪我《けが》した時に流れる血も、今よりもずっとインパクトがあったと思うな。古今和歌集を開くと、いつも鮮やかな色彩を感じるの。春から夏、秋から冬へ、色彩のグラデーションを見られるように歌が並べられてる感じがするの」

制服の肩に、花びらが落ちる。再び歩き出す二人。

髪の長い少女の表情を、飛ぶ鳥の影のような不安がかすめる。

「どうしたの？」

「なんだか、今、おかしな感じがしたんだ。今と同じようなことをずっと前にも誰かに話したような気がして――」

「あっ、それ、デジャ・ヴってやつでしょ？　ユーミンの歌にあったもん」

「それかなあ、不思議ね」

少女は何かを置き忘れたかのように後ろを振り返る。そこには何も見えない。来なかった春、見ることのなかった春、ひとりぼっちの春、誰もいない春、そんなものの気配はどこにもない。そこにはただ、冷たい青空に煙る薄桃色の時間が流れているだけ。

「ね、ちょっと急ごう。写真屋さんの予約時間が来ちゃう」

「あ、うん」

少女は前を向く。二人は早足に坂道を降りていく。彼女たちを訪れる人生の春に向かって。

茶色の小《こ》壜《びん》

私が三保典子に興味を持ったのは、ある偶然の出来事からだった。

私の勤めている会社は、毎年ゴールデン・ウイーク前に新宿のシティ・ホテルで新人歓迎会を開催する。年度始めの忙しい時期を避け、新人が会社に慣れ、異動した社員が自分の仕事に慣れた頃を選んでいるのだが、連休は月末月始を挟んでいるので、どのみち忙しいのは変わらない。

その日は朝から空が暗く冷たい雨がアスファルトを叩《たた》いていた。同じ西新宿でも、会社の入っている高層ビルからホテルまでは、十分は歩かなければならない。みんなが窓から傘の花の咲いている通りを見下ろし、溜《た》め息《いき》をつきながらレインコートを羽織って出ていく。四月は人事課を含む総務部にとって忙しい時期だ。他の社員にとっては新人でも、総務部にはもう古い顔だ。次の採用活動は始まっている。そして、印刷物の発注は庶務課の私の仕事。私は明日までに印刷所に戻さなければならない、会社案内のゲラをチェックするのに時間が掛かって、会社を出るのが遅れてしまった。

もうすぐ五月だというのに、春の夜はぶりかえした寒さに震えていた。雨はほとんど止《や》んでいたが、薄着をした女性が傘の下で腕組みをし、逃げるように歩いていく。やれやれ、また新人歓迎会か。この間出たばかりのような気がする。傘の下の息が白い。ベテラン女性社員にとって、新人というのは年々興味を失っていくものの一つだ。彼等はいつも大挙してやってきて会社をかき回す。その渦がおさまる頃には、何割かが底に沈んでいたり、いなくなっていたりする。この日のためにスーツを新調することもなくなった。新人歓迎会に限らず、イベントというものに対して興味を失うのだ。

その時、前方でどんっという重い衝撃音がした。はっとしてそちらに目をやる。周囲の人間も、皆その音に視線を引き寄せられている。

「何」

「事故だ」

「わあ、トラックが電話ボックスに突っ込んでる」

「電話ボックスの中に誰かいるぞ」

「ひどい」

ざわざわという不穏な囁《ささや》きが、がやがやという興奮に進化するのは一瞬だった。私もご多分に漏れず、非日常の気配にどきどきしながらあっというまに膨れ上がった人垣に割り込む。傘の先や濡《ぬ》れたコートが舌打ちしたくなるほど冷たい。

トラックをくいとめているように見える電話ボックスは、道路側が『く』の字形に歪《ゆが》んでいた。ガラスが衝撃と罅《ひび》で白くなっている。中に、緑の電話機にもたれかかるように中年の男が立っていた。立っていると言うよりも、挟まれているらしい。足元に、開いたシステム手帳と蓋《ふた》の開いたカバンがガラスの破片に混ざって落ちていた。システム手帳のページに血痕《けっこん》が飛んでいるのが見えた瞬間、気持ちが悪くなる。

真っ青な顔で道路側のドアを開けて降りてきた運転手は、自分も額から血を流しているのに気付かぬ様子で電話ボックスに飛び付いた。どんどんとガラスのドアを叩く。

「おい！　あんた、大丈夫か！」

返事はなかった。運転手は変な形になってしまった扉を開けようと必死に引っ張るのだが、屋根が歪んでいるために屛風《びょうぶ》型の扉は引っ掛かって動かない。近くにいた若いビジネスマンが数人駆け寄り、四人がかりでドアを引っ張った。人垣が固唾《かたず》を飲んで成り行きを見守るうちに、みしっ、という音を立ててようやく扉が開いた。周りから安堵《あんど》のどよめきが漏れる。

中の男を引っぱり出して濡れた歩道に横たえたが、意識がないのか顔は真っ青で目を閉じている。電話機にぶつけたらしく唇が切れ、顎《あご》が腫《は》れ始めている。耳元で叫んでも、男はぴくりとも動かない。男の頬に、雨がぽつりぽつりと当たっている。さぞ冷たいだろうに、と一瞬寒気を覚えた。

「怪我《けが》してるぞ」

ふと、一人が男の肩のあたりから流れ出している血を見て怯《おび》えたように呟《つぶや》いた。砕けたガラスが刺さったかして切ったのだろう。止血をしなければならない、と誰もが頭には浮かんでいるのだろうが、どんな処置をすればよいのか分からず、途方に暮れたように顔を見合わせる。私はぞっとした。電話を掛けていて事故にあうという状況よりも、事故にあった男を大勢の野次馬の中で、正しい応急手当の方法も分からず呆《ぼう》然《ぜん》と見守っていなければならない羽目に陥った通行人の状況に。

その時である。

人垣の中から薄い水色のコートを着た若い女がスッと出てくると、横たわっている男のそばに素早くしゃがみこんだ。男たちはあっけに取られたように彼女を眺めている。

女はその表情からして非常に冷静だった。顔をのぞきこみ、呼吸があるかどうか確かめ、腕時計を見ながら首筋を押さえて脈をみている。ぴたりと指を当てた無駄のない手つきは、明らかにそういう行為に慣れているようだった。生命に別状はないと判断したのか、女は男の肩や腕に触れていく。骨折があるかどうかみているらしい。二の腕の部分から出血しているのを確かめると、彼女は男の首のネクタイを素早くほどいて引っ張り出し、ためらわずに男の脇《わき》の下をぐいぐいと縛り上げた。この間、ほんの数分。遠くから救急車のサイレンが近付いてくるまでの間、野次馬はじっと彼女がネクタイを押さえている指を見ていた。華奢《きゃしゃ》な白い指——実際、力を込めているせいかその指は真っ白に見えた——よく見ると、掌《てのひら》に血が付いている。そして、その時になって初めて、私はその女性が自分と同じ会社の人間であることに気が付いたのだった。

私がそっと広間に入っていくと、既に新人のスピーチが始まっており、酒混じりの笑い声と喚声が澱《よど》んだ空気を揺るがしていた。案の定、料理はほとんど残っていない。経理課の勝又みずえが目敏《めざと》く私を見つけて寄ってくる。彼女は数少ない女性の同期の一人だ。彼女は私が遅れてくるのを見越して、何皿か料理を取り分けておいてくれた。私は手で拝んで感謝してから、そっと彼女の視線を私の前に入ってきたあの若い女性に向けさせた。彼女は、するすると広間の後方にいた若い娘たちのグループに入っていく。

「ねえ、あの子知ってる？」

みずえは私の視線の先を見ると、ああ、と大きく頷《うなず》いた。

「ああ、あの人。三保さんよ。この四月に品川営業部からウチに異動になったの」

「みほさん？　それが名字なの？」

「そう、三つのたもつ。珍しい名字よね、三保典子さんていうの。どうして？」

「ううん、別に。あの子、ずっとあたしの前歩いてたんだけど、目的地が同じだったんであれっと思ってね。初めて同じ会社の子だって気付いたのよ」

「六年目かな。本社勤務は初めてだっていうから、知らなくても不思議じゃないわ。おとなしいけど、しっかりしてて使える子よ。久しぶりにまともな人材が来たわ」

「ふうん。よかったね」

私はほんの数分前に自分が目にしたものに気を取られていた。あれはいったいなんだったのだろう。

彼女が路上の事故で怪我人を世話したことは黙っていた方がいいような気がした。駆け付けた救急隊員にふたことみこと何かを伝えたあとで、彼女は何ごともなかったかのように足早にホテルの会場へ向かった。それは文字通り逃げるようにという表現がぴったりで、彼女に自分の行為を誇示するつもりがないのは明らかだった。彼女はまっすぐホテルの洗面所に向かった。私もあとからこっそり洗面所に入った。彼女をよく見たいというのもあったが、寒いところを歩いていたので急に尿意を感じたのである。彼女は私には気も留めず、じっと手元を見つめながらゆっくりと手を洗っていた。

どこにでもいる若い娘だった。痩《や》せていて姿勢がよく、ほどよく流行の服を着て、セミロングの髪形も今時のOLらしい。丁寧な化粧には清潔感があり、顔だち自体も悪くないのだが、表情に乏しく、どちらかと言えば淋《さび》しい顔だった。いったん目の前からいなくなるとたちまち忘れてしまうタイプの顔である。トイレに入ろうと彼女の後ろを通り過ぎた時、彼女のコートに大きな血痕が飛んでいるのに気付いた。鏡の中の彼女が、私の視線にはっとするのが分かった。彼女はコートの裾《すそ》を見下ろした。血痕に指を当てる。

トイレの扉を閉める瞬間、私は心の中で「えっ」と叫んでいた。

鏡の中の彼女は笑っていた。

自分の指先に付いた血を見て笑っていたのだ。

「三保さんて、しっかりしてるよね。みんなでわいわい騒ぐのは好きじゃないみたいだけど、内気っていう感じでもないんだよね」

「殺気立ってる午後の経理課でも、いつも穏やかだしね。あたし、経理課に頼みごとする時、ついつい三保さんのところに行っちゃう」

「うん。あたしなんか一歳しか違わないのに、お姉さんって感じがする」

小さなお弁当箱をつつきながら、娘たちが小鳥のようにさえずっている。

それもまた偶然だった。経理課の女子社員が一人休んでいるために、いつもその子と二人でお弁当を食べている女の子が、経理課のみずえにくっついて私のところに来た。すると、近くにいた総務課のその子の同期二人が合流してきたというわけである。

いつもと違う顔ぶれでのお弁当タイムは、専《もっぱ》ら普段のメンバーでは仕入れることのできない社内の情報交換に費やされる。同じ課にいても普段は聞けないことを聞くチャンスでもある。結婚・退職情報や不穏な人間関係など、ひととおり最新のゴシップが披露されたあとで、何かの折にその名前が出た。その時まで、私は彼女に興味を持ったことを忘れていた。が、彼女の名前が出たとたんにあの時感じた興味が蘇《よみがえ》ってきた。鏡の中で笑っていた娘。もっと彼女のことを聞きたかったが、えてしていい人の噂《うわさ》というのは座が持たないもので、その時もあっさりと話は終わってしまった。

それとなく注意はしていた——みずえの口から彼女に対するコメントを聞こうとそれとなく促したこともあったが、毒舌家のみずえが三か月も一緒に仕事をしているのに褒めているのだから、三保典子という娘が有能だと認めざるを得なかった。

確かにきちんとした娘のようだった。いつのまにか、経理課を通り掛かる折には、彼女の姿を探す癖がついた。いつも淡々と、その場に溶け込んで仕事をしている。目立たないが自分の中に閉じこもっているわけでもない。ごく平凡な社員。ただ、どことなく彼女は周到な感じがした。何かの目標に向かって黙々と日常を積み上げているような印象を受けるのだ。そして、実現するまでその目標を決して口にすることはないだろうと。

計らずも、みずゑが一度だけぽろりと漏らしたことがあった。

「あの子、アフタースクールでも行ってるのかしら」

彼女がそういう感想を持ったのもよく分かる。二十六、七歳はＯＬとして迷う時期だ。会社の中に自分を求めるか、外に求めるか。迷っている子は、知らず知らずのうちに会社で自分の感情の揺らぎを発露させてしまう。だが、結婚予定であったり別の目標があったりして、外の世界を持っている人間はえてしてドライだ。感情の住み分けができるからである。そして、三保典子は明らかに後者だった。

娘たちの噂ばなしは続く。

「そういえば、三保さんて、看護学校出てるんですってね」

突然思い出したように一人が言った。再び耳が引き寄せられる。看護学校。脈を測っている彼女の姿が目に浮かんだ。なるほど。ならば、あの的確な対応にも頷ける。

「えー、そうなの？　誰に聞いたの？」

「こないだ飲み会やった時、法人営業部の田中君が言ってたの。彼、三保さんと高校一緒だったんだって」

「へえっ、珍しいよね、看護学校出てＯＬやってるなんて」

「勿体《もったい》ない。お医者さんとか知り合えるのに」

「でも、すっごくキツイんでしょ？　夜勤はあるし待遇悪いし」

「あたしにはできないわ。でも、三保さんだったらできたかも」

「うん。そう思って聞いたことがあったんだ。どうして看護婦にならなかったんですかって」

「そしたら？」

「頑張って資格は取ったけど、どうしても血が駄目だったんだって。意外でしょ。でも、あんなにしっかりしてる人が血が怖いだなんて、逆になんだか可愛《かわい》いよね」

三保典子は縁故入社だった。

コネにもいろいろあるが、旧財閥系の上得意の役員クラスからの紹介だから、かなり上の方と言えるだろう。少なくとも、三保典子は彼女を紹介した男に恥をかかせることはあるまい。三保典子の勤務態度は至って真面目《まじめ》で仕事の内容の評価も高く、会社としては元が取れている。

彼女は神奈川の公立高校を卒業後、東京の一流医科大学の看護学科に入っていた。きちんと三年で卒業し、その年の国家試験にも合格している。本籍地は兵庫県になっており、緊急連絡先の母親の住所も宝塚市になっていたから、恐らく彼女が高校を卒業したのちに親は郷里に帰ったのだろう。彼女は東急池上線沿線で一人暮らしをしていた。

なぜ彼女は看護婦にならなかったのだろう。

薄暗い資料室で、こっそり個人ファイルを戻しながら私は考えた。

私はなぜこんなことをしているのだろう。

ふっと自嘲《じちょう》的に笑い出したくなる。

単なる好奇心だ。私の個人的好奇心。別にこうして履歴書を見たからって、誰かに話すわけじゃない。心の底でそう自分に言い聞かせる。きっと、私は退屈しているのだ。判で押したように繰り返される日々に、小さなドラマを求めているだけ。

ロッカールームで、女たちが緊張感のない声でお喋《しゃべ》りをしている。帰宅前の、会社の顔からプライベートの顔に戻る瞬間。汗に強いファンデーション。飲み会に使う店の候補。通販の下着の品定め。私とは無縁の会話。随分前に私から遠ざかっていった会話。別に入ろうと思えば入れるけれど、年々億劫《おっくう》になる。朽ちていく日々。エンドレスに繰り返される日々。自分を覆《おお》う殻が少しずつ厚くなってゆくのが目に見えるようだった。

ふと、私は離れたところのロッカーで三保典子の横顔を見つけた。広いロッカールームに、帰宅前の女たちがあらゆる匂《にお》いを放ちながらごったがえしている。私のロッカーとは対角線上にあったのに、その横顔はくっきりと私の目に飛び込んできた。

彼女はやはり笑っていた。掌に包むように小さな壜《びん》のようなものを持っている。

あれはなんだろう？　香水？

私は目を細めて彼女の手元を注視する。

彼女はそっとその壜に鼻を寄せ、一人静かに微笑《ほほえ》んでいた。

「いやあ、僕もびっくりしたんですよー。珍しい名字だけど、あの三保さんだとは思わなかったもんで。彼女、ずっと看護婦になるって言ってたらしいし、彼女ならなれるとみんな思ってたしね。しっかり者だし、手先は器用だし。彼女、ラグビー部のマネージャーやってたんです。ラグビー部って、怪我多いでしょ？　彼女の手当ては素早くて正確だってコーチも言ってました。同級生の女の子が話してたんだけど、彼女のうち、小さい時からずっと病人がいて、面倒みてたんですって。おばあさんとお父さんを看取《みと》ったって聞いたなあ。だから看護婦になりたいって思ったみたいですけど。そしたら、会社入って彼女がいたからびっくりしましたよ。彼女もびっくりしてましたけどね。看護婦はどうしたんだって言ったら、資格は取ったけどね、って舌出してました。僕もそれ以上は聞かなかったけど。お金かかるしって、ちらっと言ってたな。実際、大変なんでしょうね」

法人営業部の田中という青年は、気は良さそうだがあまり察しのいいタイプではないようだ。振ったはずの仕事がいつのまにか戻ってきていそうな、どちらかと言えば一緒に仕事をしたくない人間と言える。みずえなら一週間で匙《さじ》を投げそうだ。だが、三保典子の情報提供者としてはなかなか役に立った。

昼休みに予備のストッキングを買いに行った際、親しくしていたかつての上司に会い、一緒に喫茶店に入った。その時、彼のポストが法人営業部長だというのが心のどこかにあったのかもしれない。そこで彼の部下が同じ席になるかもしれないというのも。

田中の話を聞いて、私はますます混乱した。少女時代に看取った祖母と父親――動機としてはこれほどインパクトの強いものもないだろう。ラグビーの怪我《けが》ならば骨折や脳震盪《のうしんとう》だけでなく、血を見ることも多かっただろう。その手当てをてきぱきこなしていたのならば、看護婦がもっと多くの血を見るということは簡単に予想できたはずだ。なのになぜ？　彼女が同僚に語った挫折《ざせつ》の理由は納得がいかない。血が怖い？　いや、私には、むしろ彼女は――

ロッカールームの喧騒《けんそう》。

三保典子の横顔。また、手にあの小壜を持っている。大事なものらしい。薬だろうか？　何か持病でもあるのだろうか。だが、蓋《ふた》を開けるでもなく、そっと手に取ってその感触を楽しんでいるという感じなのだ。

何よりも気になるのはあの笑顔だ。普段の彼女はニコニコしているとまではいかないが、穏やかで感じのいい表情をしている。たまに笑う時も静かに笑う。だが、あの小壜を手にする時の笑みは違う。それはあの時鏡の中で見せたものと同じで、なぜか見ている者を不安にさせる奇妙な笑みだ。まるで、彼女がこのロッカールームに時限爆弾を仕掛け、ここにいる女達が数分後には全員死ぬと分かっているのに、女達がそのことに気付かぬことをひっそり嘲笑《あざわら》っているかのような。

私はなんてひどいことを考えるんだろう。真面目なＯＬが自分の持ち物を手にしてうっとりしているからといって、罪に問われるとでもいうのだろうか？

「看護婦になる人って、子供の頃家に病人がいたとか、自分も入院していたって人が多いんですよね。いえ、私の場合は母親が看護婦だったから。小さい頃は淋しくって恨んでたけど、だんだん私のお母さんってすごいんだなあって思うようになって、進路を選択する時期になったら自然に選んでましたね。三保さんは同期でも優秀でしたよ。なんていうのかなあ、一本芯《しん》が通ってるっていうのかな。ほとんどが十代の女の子だから、看護婦になりたいっていう目標は持ってても、これでいいのか、あたしは本当に向いてるのかって迷路に入っちゃうのは当然ですよね。でも、三保さんはそういうところが全然なかった。必ず看護婦になるっていう感じで——迷いがないし、いつも冷静で判断も的確だから、患者さんも安心するんですよね。三保さん、小学生の時に自宅で末期癌《がん》のお父さんを面倒みてたそうですよ。お母さんが夜働いてたから、交替で。ああそうだったのかって納得しましたね。実習でも、いちばん具合の悪い人につきたがってたし、いったんついた患者さんは最後まで――退院するか、亡《な》くなるかってことですけど――付きたがってました。若い女の子は嫌がるのに。え？　香水？　三保さんが使ってる香水が何かですって？　あたしたち、香水は付けません。三保さんが香水持ってるところなんて見たこともないなあ」

昼休み。

静まり返ったがらんとした部屋に、スチールの扉がずらりと並んでいる。

上着やお弁当を取りに来る十二時過ぎと、始業前の一時近くになると大騒ぎになるが、十二時二十分頃というのはロッカールームが空になる時間だ。

私は自分が蒼白《そうはく》なのに気付いていた。行きたくないのに、足が少しずつ引き寄せられていく。蛍光灯に、スチールの扉が鈍く光っている。

一番奥にそのロッカーはあった。

『三保』

白いプラスチックのネームプレートがそっけない。

私は小さく深呼吸した。心臓の音がどきどきしてうるさいほどだ。

やるなら早く済ませなければ。誰かに見つかって、人のロッカーの前に立っていたなんて噂を立てられてはたまらない。だが、私の指はそろそろとしか動かなかった。

開くはずがない。みんなロッカーに鍵《かぎ》を掛けているはずだ。

きっと鍵なんか掛けてない。しょっちゅう扉を開けるのに、いちいち鍵なんか掛けているものか。

二つの矛盾した声が頭の中で重なりあうように叫んでいた。

がちゃ、という無骨な音を立てて難なく扉は開いた。私は気抜けしたが、そっと中をのぞきこんだ。

中は整然としていた。ハンガーにかかった私服とヒール。封の切っていないティーバッグ。紙袋に入った生理用品と三足一組のベージュのストッキング。

畳んだ膝掛け《ひざか》の奥にそれは入っていた。

赤いきれいなチョコレートの缶。

が、中味がチョコレートではないことは触れた瞬間に分かった。中でかちゃかちゃとガラスがぶつかる音がしたからである。

私はそっと缶の蓋を押し上げた。

「自立した子、というのが私の印象ですねえ。あの子のことはよく覚えています。五年生の時の担任だったんですが、いつも隅っこにいるんだけどまっすぐにこちらを見つめて話を聞いていた。熱心に話を聞く子というのはいますけど、彼女の場合はちょっと違う。さあ、この人はどれだけ自分に役に立つ話を聞かせてくれるだろうか、という感じなんです。馬鹿《ばか》にしてるというんじゃなくて、彼女の場合必要に迫られてたんでしょうな。家に帰れば家事と介護に時間を取られてほとんど勉強できないし。たいていの生徒は教師の話が脱線するのを喜びます。ところが、彼女は私の話が脱線すると、とたんに集中力をなくすんです。逆に、実用的な話にはよく反応しましたね。

今でも記憶に残っているのは、ピクニックに行った時です。クラスには、片親であったり、家業の手伝いをしていて学校の行事に参加できなかったり、家庭でもほとんど家族サービスを受けられない子がいます。当時の私は春休みにこっそりそういう子たちを集めてピクニックに連れていっていました。年度内だとひいきだなんて言われたりするので、クラス替えになる前の春休みに行くんです。その時に三保も連れていった。子供でも登れる低い山を一日掛けて歩きます。楽しかったですよ。下山する前にみんなで休憩した時、もし山登りをしていて迷ったらどうするかという話をしました。まず、みんなにどうするか聞きました。動かないで待つとか、見晴らしのいいところを探すとか、子供の考えそうなことをいろいろ言いますね。その時、彼女は何て言ったと思います？　彼女が真面目な顔で『野ネズミを探す』と言ったのでみんながあっけに取られました。『どうして？』ときくと、彼女は言いました。『つかまえて首を切るためです』私たちはますますあぜんとしました。『なんで首を切るの？』更に聞くと、彼女は平然と答えました。『血を取るためです。血液というのは、完全栄養食だから』」

残業で疲れていた。

会社の設立五十周年記念の式典は、総務にとっては悪夢のようなイベントである。招待状の発送、ＶＩＰのスケジュール確認、記念品の発注。まだ数人の男性が残っているが、あまりにも能率が落ちていたので、積み残した仕事を見ぬふりをして帰宅することにした。

こめかみを揉《も》みながらロッカールームに入る。墓標のように並ぶスチールの扉。私はふと、何気なく奥の扉を見た。なぜかその扉だけが浮き上がって光っているように見える。

そろそろと足が引き寄せられている。

一番奥のロッカーの中にある赤いチョコレートの缶。中にズラリと並んでいるあの茶色の小壜。そして、その中にあるものは——

私はその扉の前に立った。

「私のロッカーに何か御用ですか？」

突然、背中に落ち着いた声が投げられた。

全身が凍り付く。どこにいたのだろう？　そうか、ドアの陰に違いない。もうこのフロアの女子で残っているのは私しかいないから、ドアが開くのをずっと待っていたんだ。

痛いほど静かな部屋の中を、後ろの方からコツコツとヒールの音が近付いてくる。

私は思い切って振り返った。

そこに、二メートルくらい離れて、初めて正面から見る三保典子の顔があった。

穏やかな、どこにでもいる若い娘。ただ、今までの印象と違うのは、こうして間近から見るとかなり綺麗《きれい》な娘だということだった。

「え？　あ、その、なんでもないの。ただ疲れてふらふらと」

「関谷さん、ロッカー荒らしの噂《うわさ》知ってます？」

彼女は私の顔を見据えたまま、静かな声でさりげなく言った。私は愕然《がくぜん》とする。

「えっ？　そんな、まさか。私はそんなことしてないわ」

顔が紅潮するのが分かった。彼女は全く表情を変えない。が、ズバリと言った。

「でも、前にも私のロッカーを開けたことがあったでしょう」

私はぐっと詰まった。心臓が早鐘を打ち出す。

「まさか。どうして私が」

「私の小学校の担任や、看護学校時代の友達にも会いに行ったんですってね。どうしてですか」

彼女は私の言うことに全くとりあわなかった。いや、私が何をしていたか全部知っていたのだ。彼女は相変わらず平然としたままこちらを見ている。私はしどろもどろになっていた。ただの好奇心なの。ただ見てみたかっただけなの。私はなぜか急に腹立たしくなってきた。子供のように癇癪《かんしゃく》を起こしそうになる。

「別にそんな――あなたが怪我人を手当てするところを見たのよ――すごい慣れてて」

彼女はそこで『ああ』と納得したような顔になった。彼女は彼女で、なぜ私が彼女に興味を持ったのか不思議に思っていたのだろう。が、すぐに冷静な表情に戻り口を開く。

「私、迷惑してるんです。素行調査をされてるみたいで。心配した友達や先生から連絡がありました。何かトラブルにでも巻き込まれてるんじゃないかって。ひょっとして、上の方から調べろとでも言われてるんですか？　私、何かしました？」

彼女はじわりと怒りを滲《にじ》ませて私を見た。それでも、彼女はあくまで冷静で礼儀正しかった。彼女に非はない。頭ではそう分かっていても、既に私は問い詰められて理性を失っていた。自分を問い詰める彼女に怒りを感じた。自分より一回りも下の娘に追い詰められていることに屈辱すら覚えていた。

「あたし見たわよ——あなたがロッカーの中に集めてるもの——あの罎《びん》の中味。いつも手に取ってニタニタして。おかしいわよ。異常よ、あなた」

切れ切れに、精一杯の軽蔑《けいべつ》を込めて私は呟《つぶや》いた。

彼女はクスリと笑った。

私はあっけに取られた。彼女がおかしそうな顔をしているのを、ぼんやりと眺める。頭の中は説明のつかない感情で混乱していたが、その時笑った彼女が、むしろ愛らしくすら見えたことに驚いた。

「何？　あたしが何を集めてるんですって？」

彼女はつかつかと進んできて、自分のロッカーを開けた。

そこは空っぽだった。膝掛けも、紙袋も、そしてチョコレートの缶も、何もない。

「処分したのね」

「処分なんかしないわ——それに、もし私があなたの言うようなものを集めていたとして、何か罪になるの？　何かいけないことでもした？」

典子はなぜか親しげな様子で歌うように話しかけた。じっと私の顔を見る。その落ち着いた、理知的な目。今の私なんかより遥《はる》かに理性的な瞳《ひとみ》が、私を混乱させる。

彼女はロッカーを閉めると、その扉に寄り掛かって呟いた。

「看護婦を子供の頃から目指していたわ。他の進路なんてこれっぽっちも考えなかった」

その目は、遠くを見ている。

「看護婦っていろいろ矛盾に満ちた仕事なの。分業と雑事に追いまくられて、きちんと一人の患者さんとゆっくり向き合うなんてできやしない。それは私の考えていた理想と全く違ってた——私は自分が看取《みと》った人を決して忘れはしない。ひとりひとり最後まで側《そば》にいたい——そして、そのひとを忘れないために、少しだけ記念品を分けてもらうの――それだけよ。子供の時から私はそれに魅せられていた。私のお父さんは生物の先生だったの。私が介護をしている時も、痛みがない時はいろいろな話をしてくれた。みんなが持っている赤いもの、みんなを生かしている不思議な赤いものについて――」

典子はもはや、私のことなど目に入っていないかのようだった。

ふと、彼女は急に押し黙った。奇妙な沈黙。

そして、その恐ろしく醒《さ》めた目がスッと私を見た。

「――そう――たまには違う形で記念品を貰《もら》うのもいいかもね」

「じゃあ、勝又さん。短い間でしたけど、いろいろお世話になりました」

花束を持った三保典子が、私のところに挨拶《あいさつ》に来た。私は伝票から顔を上げて彼女の顔を見る。もう引っ越しは済ませており、この足で宝塚に帰るらしい。

「頑張ってね。三年は辛抱するのよ」

「はい」

三保典子は強い意思をのぞかせてにっこり笑った。この娘ならば大丈夫だろう。経理課での送別会で、彼女の今後の計画を聞いた時は不覚にも感動してしまった。

郷里に帰って介護サービスの会社を作るというのである。そのための資金を作る期間と割り切って、OL時代は目標額目指して必死にお金を貯《た》めたそうだ。もう病院でフルタイムの勤務はできなくても、自分の技能で役に立ちたいと思っている元看護婦はたくさんいる。そういう人たちを集めて、自宅での長期間の高度医療を必要とする患者の世話をするのが夢だったという。

「関谷さん、まだ出てらっしゃらないんですね」

三保典子はそっと庶務課の方に視線をやって呟いた。私が親しくしていたからだろう。

「そうね。なかなかよくならないみたい」

私は気のない相槌《あいづち》を打った。

関谷俊子《としこ》は一か月前、ロッカールームで倒れているところを発見された。残業のあと、貧血を起こしたらしい。残業続きだったので責任問題を恐れた会社の上層部は慌《あわ》てたが、もっとまずいことに、彼女のポケットから他の社員の時計や化粧品が見つかったのだった。それ以来、彼女に対して会社は腫《は》れ物《もの》に触るように接している。このまま出てこないことを願っているのは確かだった。私は彼女が人のものを盗むとは思えなかったが、長い間会社勤めをしていると、それこそ陳腐な表現だが『魔がさす』

としかいいようのないものが心に忍びこむ瞬間があることも知っている。何度か病院に見舞いに行ったが、体内の赤血球数が極端に減っているらしく、いつ見てもうつらうつらと眠っていた。

「じゃあ、失礼します」

「元気でね」

三保典子は深く頭を下げて去っていった。私は伝票に戻りながら、意識の片隅で何かが引っ掛かっているのを感じた。頭を上げた瞬間、三保典子が見せた奇妙な笑み。あれはどういう意味だったのだろう。私はほんの少しそのことについて考えたが、そのうちいつもの業務に紛れ、その疑問はたちまちどこかに消えていった。

イサオ・オサリヴァンを捜して

兵士は、待つのが仕事なのだそうだ。戦うことが仕事なのではない。ほとんどが待ち時間だ。永遠に思えるような時間を待ち続ける。特に、あの戦争ではそうだったらしい。もっとも、兵士だけではない。我々の毎日はほとんどが待つことで続いている。夜が明けるのを待ち、雨が止《や》むのを待ち、バスを待ち、湯が沸くのを待つ。不実な恋人の電話を待ち、退屈な会議が終わるのを待ち、お客が失敗を忘れてくれるのを待つ。夫や子供の帰りを待ち、頭を縮めて景気がよくなるのを待つ。待つ、待つ、待つ――その先に、一瞬の閃光《せんこう》があるのだ。

イサオ・オサリヴァンも待っただろうか？

彼も待っただろうが、彼はどちらかと言えば待つことは仕事ではなかった。ＬＵＲ《ルー》Ｐ《プ》と呼ばれる斥候部隊は、多くてもせいぜい六人のチームで、いつもいちばん最初に、遠く離れた敵地の真ん中に放り出された。イサオ・オサリヴァンがＬＵＲＰを務めるようになったのは、十九歳の時だった。ホットドッグにかけるケチャップのように大量に投入される『歩く弾薬庫』と呼ばれた後続部隊とは違って、彼等のほとんどは装備も少なく身軽だった。彼等のほとんどが、協調性に乏しい（もしくは皆無の）一匹狼《おおかみ》タイプで、散歩に行くように二、三人でジャングルを偵察に出かけていった。特に、日系のLURPは、敵に出くわしても相手が敵味方の判断に迷うので、貴重な存在だったという。

イサオ・オサリヴァンの写真は、たったの三枚しか残っていない。

彼は写真を撮られるのが好きではなかったし、斥候という仕事柄、顔を広く知られることは望まなかったに違いない。だが、それにしても生涯において、写真がたったの三枚とは少な過ぎはしまいか？

が、それでもないよりはましだ。自分の探している人物がどんな顔か、知らないよりは知っている方がいいに決まっている。

一枚は、水田を背にして立っているところだ。手前にぼやけた黒人兵の顔が写っている。私はそのルイス・マクファーレンにも話を聞いたけれど、彼はイサオ・オサリヴァンのことはほとんど覚えていなかった。なにしろ、LURPには変わり者が多かったし、嫌人癖のあるやつばかりだったからね。

イサオ・オサリヴァンは穏やかな顔で煙草《たばこ》を吸っている——細身でしなやかな身体《からだ》つきは、その整った清潔感のある顔のせいもあって、ほとんど少年と言ってもいいくらいだった。

その顔は完全にアジア人に見えた——もっと言うと、日本人に見えた。長めの黒髪、黒い瞳《ひとみ》、黄色い肌。オレンジ色のバンダナを額に結び、抹茶色のTシャツにくたびれたアーミー・ジャケット。噂《うわさ》に違《たが》わず、他の兵士たちに比べ、恐ろしく軽装だ。

別の写真では、イサオは背中がちょっと写っているだけだ。長めの黒髪とオレンジ色のバンダナでイサオだと分かる。日に焼けた左の二の腕の後ろに、星座のように三つ並んだ黒子《ほくろ》が認められる。

三枚目の写真では、イサオは上半身裸で頭を洗っている。ちらりと美しい横顔が濡《ぬ》れた髪の間にのぞき、頭をかがめているために、首に下げている灰色のものが宙に浮かんでいる。黒い革紐《かわひも》につながれたそれはなんだろう？　十字架か、それとも写真入りのロケットだろうか？

あれは骨だそうだ、とその写真を撮ったカメラマンが教えてくれた。

デイヴィッド・ウォーレスはウディ・アレンに似ていて、百戦錬磨の報道カメラマンというよりは恐妻家の脚本書きみたいだった。

彼は不思議な人だったよ、とデイヴィッドはもごもごと呟《つぶや》いた。彼は風景の一部になってしまえるんだ。木の葉のようにジャングルに溶けこんでしまえるんだ。彼は数え切れないほどの任務をこなしたが、ほとんどケガをしなかった。

イサオ、それはなんだい？

思索的なタイプのカメラマンだったデイヴィッドは、イサオとうまが合ったようだ。

骨だよ。

イサオは穏やかな瞳であっさりと答えた。

なんの？　ウサギかな？

ちがうよ。

まさか人間の？

イサオは微笑《ほほえ》んだだけで返事をしなかった。

噛《か》むんだそうだ。デイヴィッドは、私の反応を試すかのように呟いた。

噛む？　私はデイヴィッドの目を見る。

真実の恐怖を感じた時だけ、その骨を口に入れて強く噛むんだって。そうすると、その骨が恐怖を吸い取ってくれるんだそうだ。

イサオはよくその骨を噛んでいたのかしら？　私は興味を感じた。デイヴィッドは分からない、と首を振った。しかし、私の受けた印象ではめったに使わないという感じだったね。これは何か日本人のカニバリズムと関係するのかね？　当時、フランスで、日本人留学生が交際していた女性を殺して食べたという事件が話題になっていた。私は苦笑した。日本には食人の習慣はない。でも、日本人は亡《な》くなった人の骨というのを非常に大切なものと考えている。骨をお墓に納めるまでは、その人は成仏《じょうぶつ》できないと考えられている。肉親の骨を嚙むという話は、そんなに奇異なこととしてでなく、何度か聞いたことがある。

今となっては、イサオの感じていた真実の恐怖というのが私にも理解できるようになった。彼は確かに敵を探していた——彼にとっての、真実の敵を。

イサオ・オサリヴァンの他愛もない、雲の影のような実体のない噂を収集していくのは、おとぎ話の採集に似ていた。グリム兄弟の仕事——あのグロテスクでエロチックなお話の数々を集めていた彼等は、何を考えていたのだろう？　きっと私のような気分だったに違いない——終わらせようと思えばいつでも終わらせられるが、続けようと思えば、いつ果てるともない仕事。

奥歯のこともある。

イサオ・オサリヴァンの奥歯には、何かの機械が埋められているという噂は何回も耳にした。その話を聞いた時に私が真っ先に思い出したのは『サイボーグ009』だった。009こと島村ジョーは、奥歯の横に加速装置のスイッチがあって、舌でそれを押すとマッハの単位まで動きを加速できる。イサオの奥歯にも加速装置がついていたのだろうか？　もっとも、それは根拠のない噂だった。イサオの口の中から時々カチッカチッという音がしたとか、モーター音がしたとか、口の中で火花が散るのが見えたとか。モノについてもいろいろ言われていた。通信機だとか、爆弾だとか、金属探知器が入っていたのでイサオはトラップにかからなかったのだとか、あげくの果てはイサオは本物のサイボーグだったのだとか。

戦場には噂が、伝説が、神話が渦巻いている。沈黙と饒舌《じょうぜつ》。高揚と絶望。

ある兵士は、作家志望だった。彼は、875高地で、何日も徹夜の続く激しい戦闘のあいまを縫って、彼が創作した、戦場の密室状態の塹壕《ざんごう》で起きる不可能殺人の話をえんえんと語り続けていたそうだ。累々《るいるい》と黒い遺体袋が積み上げられる大量殺人のさなか、動機と策略のある知的な殺人事件を。第一章。秘められた殺意。第二章。十二年前の諍《いさか》い。爆音。爆音。ヘリコプターの音。穴を掘る。第三章。悲劇の幕開け。待機。待機。爆音。第四章。預けられた手紙。煙と炎。第五章。恋人の秘密の過去。第六章。擦り替えられた登録票。地響き。閃光。第七章——

彼があそこでミンチにならなければ、今ごろティム・オブライエンに匹敵する戦場本格推理小説が完成していたはずなのにねえ。

そういうジェドは、その男の物語を熱心に聞き、密室殺人の犯人を必死に考えながら高地を走っていたという。途中で犯人とその方法が分かったのだが、その瞬間に味方が誤って落とした五百ミリ爆弾にぶっとばされて、犯人と方法どころか元のストーリーも忘れてしまったのだそうだ。しかし、イサオのことは覚えていた。

イサオはね、家族がいなかったんだよ。両親を早くに亡くしてたみたいだね。そのせいか、やけに彼は身軽に見えたね。彼はいつも静かだったね。ほんとに静かだったんだよ。凪《な》いでる海みたいにいつも穏やかでね。時々パニックに陥りそうになるとイサオのところに行ったよ。そういう奴《やつ》が何人もいたよ。イサオの側《そば》にいると落ち着くんだ。時には、そういう奴がぐるりとイサオを囲んで座ってたこともあった。みんな、そのことは絶対口に出さないんだ、イサオの近くに座ってパニックを静めたいなんてことはね。ちょっと煙草を吸いにきたんだ、とか、ちょっと夜風に当たりにきたんだ、とか理由を付けてね。時々イサオに手紙が来てたな。ほんとにたまにだけど。誰だい、恋人かいって聞くとイサオはちょっとだけ笑うんだ。彼が笑う時は返事をくれない時なのさ。でも、ちらっと見たところ、子供の手紙みたいだったね。男の子だね。でも名字は違ってたから、血縁関係じゃなかったんじゃないかな。友達かな、でも友達にしてはやけに幼い手紙だった。イサオも幼く見えたけど、俺が会った時は二十一くらいだったと思う。でも、イサオは返事は書いていなかったね。

イサオと文通していた少年は誰なのだろうか。これは、今でも私は見当がつかない。憶測はできるのだけれども、あてはめるべき人物が思い当たらないのだ。なぜイサオは返事を書かなかったのだろう。手紙くらい戦場で重宝されるものはないのに。

この頃には、私はもうほとんどイサオに恋い焦《こ》がれていると言ってもよかった。それは、イサオの話をしてくれた男たちがイサオを好いていたからだろう。一目置いていたと言うべきか。みんな口には出さなかったが、イサオ・オサリヴァンの話を聞かせてほしいと言うと、みんな決まってハッとしたような顔になりもぞもぞと身体を動かしてから話を始めるのだった。それはまるで、憧《あこが》れている女の子の話題になって、彼女について意見を求められた少年が、努めて自然に話をしようとしているのにかえって意識してぎこちなくなってしまう、というのに似ていた。

彼はチャーミングだったね。エリート主義者も、気の荒い粗野な男も、ちんぴらも、インテリも、彼としばらく一緒にいるとみんな彼になついてしまうんだ。彼は非常に重宝だった。指揮官なら誰でも自分のグループに一人欲しいタイプだったと思うね。

イサオと同じLURPの人と話をするのは長い間私の悲願だった。それほどLURPは数が少なく、表舞台に出ることもなく、しばしば偵察先から帰らなかったからだ。

ジョン・フォード、という著名な映画監督と同じ名前をした男は、六年近くLURPを務め上げたという驚異的な男だった。後半はほとんどがチーフで、イサオとは約二年同じチームにいたという。名前のせいではないだろうが、見るからにアメリカ映画の主人公を張れそうな、生まれながらの男らしさとリーダーシップを兼ね備えた男だった。

ジョンもイサオの魅力を認めていたが、彼はイサオの兵士としての素質に重きを置いていた。

最初彼を見た時は、やれやれまたこんな子供みたいのを送りこんできて、と思わず天を仰いだね。華奢《きゃしゃ》だし、あどけないし、青い坊主頭《ぼうず》で現れた彼は、こんなところでM16をかついでるよりは、タイで托鉢《たくはつ》でもしてるほうが似合ってるんじゃないかと思った。東洋人の筋肉の付き方は独特だろう？　我々は鍛えるにつれ筋肉がゴムボールのように膨らんでくるが、東洋人のそれは、人によっては逆にそぎ落ちてくる。イサオはどうやらそういうタイプだったようだ。少し使ってみて、彼の身体能力の高さには驚いた。目はいいし、持久力はあるし、反射神経が抜群だ。優秀な兵士は信頼もされるが、嫉妬《しっと》や反感も買う。イサオはその点もクリアしていた。なんとなくみんなに歳《とし》の離れた下の弟を見てるように思わせるところがあって、可愛《かわい》がられていた。隊でも一番がさつで乱暴者の大男が、おとなしくじっと座ってシャツの破れたところをイサオに繕ってもらってるところなんか、『ジャックと豆の木』の巨人と少年みたいだなってみんなでクスクス笑ってたもんさ。実は、そいつはイサオが入ってきた時は彼を白眼視していた。新兵は多かれ少なかれそういう目に遭うが、彼のイサオに対するいびりには目に余るものがあった。親父《おやじ》が第二次大戦と朝鮮戦争に行ってたらしい。何かにつけて銃で突いたり、腹を蹴《け》ったりする。東洋人に対する侮蔑《ぶべつ》をねちねちと耳元に囁《ささや》いたり、機関銃のように吐きかける。だけど、砲弾のかけらをくらって動けなかった彼を、イサオがたった一人で、激戦地から夜通し八時間もかけて沼の中をひきずって帰ってきた時から変わったのさ。

ジョンはその時のことをよく覚えていた。泥の塊みたいな二人がLZ（降着地域）に辿《たど》りついた時は、さすがのイサオも疲労困憊《こんぱい》で、その場で気絶したように五時間眠りこみ、ようやくみんなの呼び掛けに反応してほとほとあきれ果てたように口を開いた。

J・Dときたら、一秒おきに『置いてけ、くそジャップ!』と耳元で叫ぶんだ。うるさいのなんのって。おかげで、沼の中で眠りこんで二人とも溺死《できし》するのは免れたけどね。——J・Dが何の略かは、結局のところ分からなかった。まさか、いくら上官がジョン・フォードだからといって、ジェームス・ディーンじゃあるまいな?

私はJ・Dに会ってみたかった。こう質問したかったのだ——イサオと夜の沼を漂っていた時に何か見なかったか? 何か感じなかったか? 何か起きなかったか?

ジョンは首を振った。

イサオはその時、爆弾を解体していた。彼等が発見した粗末な基地は、わざと打ち捨てられていた周到な罠《わな》だった。中で時限爆弾を発見したのもイサオ、すぐさま解体を始めたのもイサオだ。イサオ・オサリヴァンを大量生産したらさぞかし儲《もう》かるだろうな、とみんながよく冗談で言った。靴屋のごとく破れた革靴を縫い、衛生兵のごとく応急処置をし、百発百中で敵を撃ち、爆弾まで処理してくれる。一家に一台、必需品さ。

他の連中は離れたところでイサオが爆弾の処理を済ませるのを待った。

敵はちゃんと彼等の動きを読んでいた——63型迫撃砲の最初の一発が飛んで来るのが分かった。この迫撃砲はいまいましいくらいに精度がいい——きちんと、自分たちが爆弾をしかけた基地を狙《ねら》いすまして飛んできた。ジョンが口を開くより前にJ・Dが飛び出していた。

J・Dの最後の一言は、ジョンが口にするのをためらったことですぐに分かった。

くそったれジャァァップゥゥゥゥ！

J・Dがちょうど信管を外し終わったイサオを粗末な小屋からひきずりだしたのと、閃光《せんこう》は同時だった。

爆風と煙が収まってから、イサオがよろよろとJ・Dの身体《からだ》の下から這《は》い出してきた。J・Dは背骨が散らばるほど後ろの肉を持っていかれていた。内臓からほかほか湯気の上がるJ・Dの失われた背中を見て、みんながげえげえ吐いていたが、イサオはそっとJ・Dの残っていた身体を仰向けにすると、血まみれの頰を両手で挟んでずっと顔を見つめていた。

彼の家庭には興味があったね。

少し間を置いてからジョンが口調を変えて話し始めた。

私も興味があった。

彼の頭ならいい大学に行けていたと思う——そうしたら、あんな最前線に送られることなどめったになかったはずだ。彼には貧しい雰囲気はなかった。むしろ、経済的に裏打ちされた教養と、育ちの良さが感じられた。しかし、彼は徴兵された時点で既に完成された兵士だった。それがジョンには不思議だった。他の若者がポップコーンとコカ・コーラとデートに浮かれていた時に、イサオは何をしていたのだろう？

　イサオの父、ダニエル・オサリヴァンはボストンで魚介の卸を営んでいたという。母、キミコ・オサリヴァンは純粋な日本人で、高校の数学教師をしていた。ジョンが興味を持ったのは、母方の祖父――ヤギサワという名字しか分からないが――マタイだったのだという。

　マタイ？

　私が聞き返すと、ジョンは言い直した。なんでも、山で狩猟をして、ほとんどを山の中で暮らす、日本では古くからある職業だと言っていたね。彼は子供の時から日本に帰った時は山で生活していたらしい。

　マタギのことだと気付いた。なるほど、子供の頃から熊《くま》を追っていたのだとすれば、良い兵士になったのも当然だろう。しかし、恐らく、彼の追っていたものは熊だけではなかったはずだ。

　私は映画も見ていた。イサオ・オサリヴァンのことを知りたくて、何度も暗闇《くらやみ》に足を運んだのだ。友人の身代わりに輸送機に乗り込む『ヘアー』のラスト・シーンに始まり、戦場帰りのタクシー・ドライバー、ロシアン・ルーレット、大音響のワルキューレとジャングルの奥の千年王国、オリバー・ストーン、スタンリー・キューブリック、不死身の筋肉隆々男の活劇まで。

しかし、正直言ってピンと来なかった。どうしても、スクリーンの中の戦場と、イサオが戦っていた戦場とが重ならないのだった。かろうじて似ていたような気がするのは、エイドリアン・ライン監督の『ジェイコブズ・ラダー』だった。『ジェイコブズ・ラダー』はあの戦争で、兵士の戦意高揚のために大量の麻薬が投与されていたという説を兵士たちが証明しようとする、一見ポリティカル・サスペンスのような映画だが、途中からどんどん悪夢のような世界に足を踏み入れてゆく。イサオが見ていた世界は、むしろこういうものに近かったような気がする。

そう、戦争には無数の正義と無数の構図がある。あの戦争が自由主義陣営の砦《とりで》を守るつもりで始められたはずなのに、いつしか民族自決の戦いへと変わっていったように。

イサオと一緒にいて、何か変わったことはありませんでしたか？

私はジョンに重ねて尋ねた。

変わったこととは？

ジョンは静かに私を見た。私は目をそらして答えた。

例えば――見えるはずのないものを見たこととか。

イサオはドラッグはやっていなかったよ。

そういう意味ではないんです。

私はチラリと彼を見た。彼の目を見て、彼は知っている、と思った。

戦場ではね、時々信じられないようなものを見るんだよ。俺の親友は、C47輸送機から百人のメリー・ポピンズが傘さして一斉に飛び下りてきたところを見たと言ってたけどね。本当に見ているんだよ、その時はね。

ジョンは言葉を切り、つかのま逡巡《しゅんじゅん》した。

同じLURP仲間に、グレゴリーという男がいてね。頭が切れて鋭敏な兵士だったが、こいつが飛び切り変わっていた。彼は博物学者になるのが夢だった。東南アジアは植相が豊かで、昆虫や鳥類が充実してるから、軍に入れば国費で見に行けると思ったと言うんだね。エージェント・オレンジ（枯れ葉剤）を撒《ま》いたことを誰よりも怒っていたのはあいつだろうな。こいつがLURPを志願したのは、ひょっとしてより広い範囲のジャングルで鳥を探すためだったんじゃないかと、みんな密《ひそ》かに疑っていたと思うね。任務のあいまに花や虫をスケッチしたり、みんなに解説したりしているくらいなんだから。唯一《ゆいいつ》助かったのは、蛇の種類に詳しかったことだな。

いつか中国に行って極楽鳥を見たいんだ。

グレゴリーはよくその話をした。最後の方は、主にイサオに向かって話しかけていた。他の連中はげんなりしていたが、イサオはいつも新鮮な顔で真面目《まじめ》に聞いていたからだ。

この世のものとは思えない鳥なんだぜ。本当に、本当に光を受けて無数に輝く極彩色なんだ。サイケなんてメじゃないんだ。恐ろしい虹《にじ》のように、雨上がりのアスファルトみたいに輝くんだ。

中国とは地続きだから、ここに飛んでくることもあるかもな。

イサオはにこにこしながら、そう話を合わせていた。

そして、グレゴリーは——ジョンやイサオや、その他のメンバーもだが、それを見たのだった。月も星もない、ある深夜の行軍の最中に。

それは、最悪の夜だった。合流地点に辿り着く予定の時間を大幅に過ぎていた。このままでは二日後に始まる作戦自体を台無しにしかねないありさまだった。おまけに持ち帰れる土産がほとんどないときている。みんな不機嫌に、黙々と非武装地帯であるはずの山間部を歩いていた。

最初に、淡い光が見えた。

なんだ、あれ？

谷を越えた森の向こうに、丸く、曙光《しょこう》のようなレモンイエローの光が見えた。

兵士たちは足を止めて、ぼんやりとその光を見つめた。

見たことのない光だった。機械のものとは思えなかった。

おい、どんどん大きくなるぜ。

ジョンは、その時、『ヴィーナスの誕生』を思い出していた。海の上の貝殻、後ろに射《さ》す曙光。そのうち裸の女が顔を出すのではないだろうか？

光は動いていた。ゆっくりと闇の中をたゆたうように広がってゆく。

夜明け、か？

誰かがのろのろと呟《つぶや》いた。

違うだろ。まだ午前二時だぜ？　それに、あれはどう見ても山の中から出てるぞ。

光はますます強くなる。眩《まばゆ》いばかりの光が、ジャングルと空を覆《おお》っていく。

新型爆弾か？

その時、ジョンはふとイサオの顔を見た。イサオのぞっとするような冷たい目に、
ジョンはぎくりとした。よく見ると、イサオは口に何かをくわえていた。首に下げた

革紐《かわひも》についた、灰色の小さな塊を。

やがて、光の中からバサバサと音を立てて無数の何かが飛び出してきた。鳥だ。たくさんの鳥が、次々と光の中を飛んでくる。

極楽鳥だっ！

グレゴリーが裏返った声で、悲鳴のように叫んだ。

見ろっ、あんなにたくさんっ。信じられない。

信じられないのはグレゴリーだけではなかった。それは異常な眺めだった。辺りが真っ白になるような眩い光の中を、極彩色のきらきら輝く鳥が、数え切れないほど大量に移動していくのだ。

グレゴリー、行っちゃだめだ！　食われるぞ！

イサオがめったに出さない激しい声で叫んだ。しかし、グレゴリーはライフルを構えて既に駆け出していた。パン、パン、とライフルで鳥を撃つ音が響く。

グレゴリー！

イサオが叫んで後を追った。

そのあと何が起きたのか、ジョンは語ろうとしなかった。「分からない」を繰り返すのみだ。結論として、グレゴリーはそのままジャングルに消え、再び山の中は暗闇と静寂が戻ってきた。そして、イサオは二時間後に一人で帰ってきた。ジョンの顔を見て、行ってしまった、と一言呟いただけだった。

ジョンはその事件のかなりの部分を省略しているようだったが、それ以上の追及はできなかった。彼がそれ以上話すつもりはなかったからだ。

地獄というのは、限りなく天国に似ているもんだよ。

ジョンはそう話を締めくくった。

イサオ・オサリヴァンは、一九七三年以降、目撃されていない。

それは、ある晴れた朝のことだった。ベース・キャンプで、イサオはコーヒーを飲みながら他の兵士とカードをしていた。めったにない、全《すべ》てがうまく行きそうな、そんな幻想で自分を包むことのできるような朝だ。

イサオは機嫌が良かった。低くハミングしていたからだ。イサオは任務中の時は息すらも潜めて余計な音は一切立てなかったが、任務を離れてリラックスしている時は、しばしばハミングを繰り返していたという。それは、いつも同じ曲だった。

キャンプはがやがやと寛《くつろ》いだ喧騒《けんそう》に溢《あふ》れていた。

レイモンド・ダニングはその時のことを何度も思い起こしたという。彼は、イサオの向かい側に座っていたのだ。

自分の手の中のカードを見ながら、イサオはみんなとくだらない冗談に笑っていた。そのイサオが突然、ぱっと顔を上げて、レイモンドの後ろの遠いところを見たのだ。まるで、誰かに呼ばれたかのように。

レイモンドはつられて後ろを振り返ったが、立って話をしている連中や歩き回ったりする兵士たちの中に、イサオを見ている者は誰もいなかったという。

イサオは用を思い出したとみんなに断って席を立つと、近くでゲームを見ていた者に配られたばかりのカードを譲った。そして、すたすたと足早に歩いていった。

ほんとに、すたすたと、という感じなんだよ。誰かを見つけて慌《あわ》てて追いかけていった、という印象が残っててね。

イサオはたちまち行き交う兵士たちに紛れて消えた。レイモンドたちも別にイサオの行方を気に掛けることなくカードに熱中した。

しかし、それっきりイサオの消息は途絶えた。そのままいなくなってしまったのだ。状況から見て、事故の可能性が高いと軍では周囲を捜索したが、イサオの痕跡《こんせき》は全くなかった。サバイバル技術に長《た》けた優秀なLURPだったし、そのうち戻ってくるのではないかと仲間たちは期待していたが、イサオは二度と彼等の前に現れることはなかった。彼の名は、二千名を超えるという、あの戦争での米軍の行方不明者リストに載せられたまま今日に至っている。

イサオはどこへ行ってしまったのだろう？　どこかのジャングルで土になってしまっているのだろうか？

そもそも、なぜ彼はあの戦争に行ったのだろう？

私はとりとめもなく宙ぶらりんになった思考を抱えて、いつのまにか低くハミングしていた。イサオがしばしば繰り返していたという曲を。

あれ、『グリーンスリーブス』だね。

カウンターの脇《わき》でピアノを弾いていたケンジが私のハミングを聞いて頷《うなず》いた。

郷愁をそそるフォークソングだよね。

ケンジはたちまちゆるやかなジャズ・ワルツに載せてその曲を弾き始めた。

ドリア調だし。ケンジが呟く。

なあに、それ。私が顔を上げる。

『スカボロー・フェア』がフォークソングなのは知ってるよね。

ケンジは鍵盤《けんばん》に視線を落としたままそう言うと、今度は『スカボロー・フェア』を弾き始める。

サイモン&ガーファンクルの曲だと思ってたわ。

じゃあ、『スカボロー・フェア』は長調の曲だと思う、短調の曲だと思う?

うーん、短調かな。私は曲を頭に思い浮かべながら答えた。ケンジが歌い始める。

うん、確かにほとんど短調と同じ音階なんだけど、ここが違う。パスレィセージローズメリーエンタイム。ね、短調だったらここはファだけど、ファのシャープになってるでしょ。これがドリア調っての。『グリーンスリーブス』も同じ音階で書かれてるんだよ。

どこの民謡なの?

イギリス——というよりも、アイルランド民謡かな。

イサオ・オサリヴァン。オサリヴァンという姓はアイリッシュ系だ。

今まで私は、マタギをしていたという祖父のこと、イサオが幼年時代をしばしば過ごした日本の山のことばかり考えていたが、魚介卸をしていたという父親のことも考えなければならないのかもしれない。

私はこの捜索が終りに近付いていると感じていた。冷たい秋雨の予感とともに、私は自分がやれることはそろそろおしまいだと気付いていた。

そんなある日、彼がやってきた。

雨の降る午後、私のもとへ、銀色の髪をした男が。

男はミカエルと名乗った。

髪の毛を見て年寄りなのかと思ったが、顔はつるりとしていて、せいぜい四十そこそこにしか見えない。男は大きなトランクを抱えており、それを私のホテルの部屋の床にそっと置いた。

ぎこちない握手を交わしたあと、ミカエルはこれをお届けに上がりました、と床のトランクを見下ろしながら静かに呟いた。

私がイサオ・オサリヴァンを探していることをお聞きになったとか。

私はホテルのフロントから電話があった時の驚きを反芻《はんすう》しながら答えた。ミカエルは呟く。ええ、あなたがこれを渡すべき相手だと分かったのです。

それはなんですか？　私はトランクに目をやった。

イサオが私に送ってきたものを書き留めたものです。私は受け取ることはできたが、送ることはできなかった。だから、私はイサオと連絡を取るには手紙を書かなければならなかった。私はイサオのように強くはなかったのです。

あなたがイサオと文通をしていた男の子？

受信者は何人もいました。到底私一人では記録しきれなかったし。受信者の記録を総合したものがこれなのです。これをお読みになって下さい。そうすれば、イサオが何をしていたかが分かるでしょう。

男はそれだけ言うと、トランクを残して立ち上がろうとした。私は慌てて彼を引き止めた。

待って下さい、それだけでは何が何だか。せめて連絡先を教えて下さい。

男は灰色の目をしてじっと私を見ていたが、やがてひとりごとのように呟いた。

ほんとうに、あったんですよ、あの奥に千年王国が。

え？　私は耳を疑った。男は淡々と言葉を続ける。

あの監督は、どこかでその噂《うわさ》を聞いたのでしょうね。でも、それは彼が想像したようなものではなかった。簡単に言うと、それは巨大な機械に似ていました。それには統治能力があって、気の遠くなるような年月の間に、自分の衛星になるようなものを見つけだし、それらを育て上げてあの国を網羅するネットワークを作っていたのですよ。そいつの力は強大で、近付く者に対してさまざまに反応するのです。そいつは、ただそいつが太古から持っていた性質によって反応しているだけなのですが、放っておくとどんどん進化して我々を支配してしまうのです。昔からそいつを解体しようといろんな人間が試みてきたのですが、一進一退を繰り返してきた。イサオは最強にして最高の解体者として、期待されていたんです。

ぽかんとしている私を置いて、男はすたすたと――まるで最後のイサオのように、去っていった。

そして、今、夜が明けようとしている。

あの男がドアを閉めてから何時間経《た》つだろう？

私はホテルの小さな机の前で夜を明かそうとしている。カーテンの向こうはうっすらと白み始め、一日の営みの開始を告げようとしている。

私の目の前には、各地の受信者たちが書き留めた生々しい記録の山が堆《うずたか》く積み上がっている。私は、それらをたった今読み終えたところだ。

記録の山にまぎれて、二つ折りの小さな茶封筒が入っていた。

私は恐る恐る手を伸ばす。その中の堅い感触を確かめる。

今はもう、全てを思い浮かべることができる。イサオがどうしてあの場所に行き、あの仕事を選んだか。イサオが一人で何と戦っていたのか。イサオが何を考え、いかにして戦っていたか。彼の奥歯。彼のグリーンスリーブス。これから私が何をしなければならないのかを。

イサオ・オサリヴァン。私の父。最強にして最高の解体者。私が戦いを引き継ぐべき相手。時間はあまりない。

私はゆっくりと、封筒の中から黒い革紐につながれたそれを引き出す。
イサオはそれを嚙《か》んだという。
夜は静かに加速しながら明けてゆく。新しい一日が始まる。
私は革紐を首に掛け、小さな灰色のものを目の前に持ち上げる。
私は口を開け、恐る恐るそれを口に入れる。
それは歯の間で、冷たく乾いた音を立てた。
真実の恐怖の始まりの記念に。

睡《すい》蓮《れん》

桜の木の下には死体が埋まってるっていうだろう？　睡蓮《すいれん》もそうなんだ。睡蓮の下にはきれいな女の子が埋まってるんだよ。池の底の暗い泥の中に埋まったきれいな女の子からでなきゃ、あんな美しい花は咲かないんだ。

最初にそう言ったのは稔《みのる》だったのか亘《わたる》だったのかはもう覚えていないけれど、初めてそう聞いた時にひどく納得したのを覚えている。北側の窓から見える沼はなぜかいつも私を憂鬱《ゆううつ》にしたが、重く固い水面《みなも》に浮かぶ幾何学的な形をした花は宝石のように美しかった。晴れた日の昼間でも薄暗く、澱《よど》んだ瘴気《しょうき》に満ちた水底からあの一点の染《し》みもない花が生まれてくるのは、毎日小さな奇跡を見ているようだった。だから、泥の中に人形のような色白の少女が横たわっていてその額からあの花が伸びているというイメージは、当時の私にはかなり説得力があったのである。

りせからも花が咲くかなあ。

そう呟《つぶや》いた私に、亘はひどく暗い顔をした。彼は私が沼を見ているといつも、ちらっと嫌そうな顔をする。普段は快活でさばけた少年であるだけに、私は彼のその表情を見ると鈍い苦痛を覚えた。それを無視して私は尋ねる。

亘はどう思う？　彼の口から私の容姿を保証してほしかったのだ。

咲くよ。理瀬からは、誰よりも大きな花が咲くだろう。でも。

亘は怒ったような声で言葉を切った。私は続きを待つ。でも？

そのためには暗くて冷たい、ぬるぬるした泥の中に沈まなきゃならない。

そう言った亘の横顔は蒼白《そうはく》だった。

子供の頃の世界はひどく平坦《へいたん》だった。小学校から帰ってきても、兄たちが帰るまでにはかなりの時間があった。二年生になったばかりの時にここに引っ越してきたが、既に稔は高校生だったし、亘は中学三年で受験を控えていた。私は一人でいるのが嫌いではなく、騒がしくて闇雲《やみくも》にぶつかってくるゴムボールみたいな小学校の級友たちにはなんとなく違和感を感じていたので、家で本を読んだりピアノの稽古《けいこ》をしたり古いレコードを聞いたり、祖母の手伝いをしている方がしっくりきた。祖母は、饒舌《じょうぜつ》な印象は全くないのだが、聞けば実にいろいろなことを知っていた。小うるさいことは言わなかったが、厳格だった。その厳格さと私との距離感が私には心地《ここち》好《よ》かった。私ははめを外すよりはきちんとした世界の方が好きだった。

当時住んでいた家は古い洋館で、玄関から二階に上がる階段の三段目が私の定位置だった。雨の降る静かな午後に、頰杖《ほおづえ》をついて玄関の嵌《は》め殺しの窓から門を見つめ、兄たちの帰ってくるのを待つ。灰色の時間は止まってしまったかのようだ。世界は永遠で、雨は止《や》むことがない。

それでも、いつかは二人が帰ってきた。稔が鉄の門を開けて入ってくると、いつも喜びと共に緊張を覚えた。稔は私が階段に座っているのを見ると、必ずじっと無表情のまま注視する。私は平静を装《よそお》いつつも、身構える。稔は銀のナイフのように美しい。いつも落ち着いていて、いつも周りを観察していて、いつも頭がいい。嵌め殺しの窓ガラス越しに、私たちは互いに見つめ合う。彼は玄関の扉を開け、私に声を掛ける。

理瀬、頰杖は駄目だよ。歯並びが悪くなる。汚い女の子になるよ。

稔は実際、『汚い女の子』が大嫌いだった。太った女の子、不細工な女の子、頭の悪い女の子、ひがみっぽい女の子。そう口に出しては言わないけれど、彼の目を見れば分かった。道で擦れ違う娘たちを一瞥《いちべつ》する冷ややかな視線。腐った林檎《りんご》を見つけた時のような不快な目付き。鳥の影のように瞳《ひとみ》をかすめる軽蔑《けいべつ》。私は嵌め殺しの窓の向こうにいつも恐怖を探していた。彼が私に向ける視線の中に『汚い女の子』に対する軽蔑が混ざってはいないかと。

その一方で、亘が帰ってきた時はいつも素直な喜びを感じた。主人を待っていた犬が感じる喜び。やれやれこれで遊べるという安堵《あんど》。亘は私を見つけるといつもニコッと嬉《うれ》しそうに笑う。

腹へったなー、なんかない？　私は飛んでいってまとわりつく。

ちぇっ、数学のテスト、最低記録更新しちまったよ。亘は自分が脱いだ学生帽を私の頭に乱暴にかぶせる。

なんで。亘の得意科目じゃない。亘の帽子の匂《にお》い。やんちゃな男の子の匂い。

なんか調子悪かったんだよなー。あん時は朝から下痢してたからな。

亘の自転車に二人乗りして土手を走る。両手放しで奇声を上げる亘に声を合わせ、私も金切り声を上げる。ヘビイチゴを集め、木に登って鳥の巣を探す。屈託のない亘の笑顔が太陽に弾《はじ》ける。

なあ、理瀬、源氏物語って知ってるか？　泥だらけの靴を腰にぶらさげ、裸足《はだし》で亘の背中にしがみついている私に亘が唐突に尋ねる。

知らない。それがどうかしたの？　ほんの一瞬、亘の背中が固くなる。

いや、なんでもない。風に亘の声が紛れる。オレンジ色の川の風景が飛んでいく。

彼等が私の本当の兄弟ではないことに、私は薄々気付いていた。祖母は本物の祖母だったと思う。彼女といる時に感じる。彼女と私の間にある一本の太い流れのようなものは確かだった。稔と亘は、恐らく私の従兄弟《いとこ》だったのではないだろうか。ものごころついた時から、うちの家族構成がよそとは違っていることは感じていた。他の子供には必ずいる『両親』なる生々しい成年男女が存在しないことを不思議に思っていたものの、そのことに不自由を感じたことはなかった。が、私はどことなく今の家族がニセモノくさいことも嗅《か》ぎとっていた。かりそめのもの、本物ではないもの。私はその中で自分の役割を演じることを覚えた。稔の前ではきれいで完璧《かんぺき》な女の子を、亘の前では快活な少年のような妹を、祖母の前ではしっかりした手の掛からない孫娘を。女の子は作られる。男の子や大人の目が女の子を作る。

理瀬ちゃん、とっても上手だったよ。これ。

突然、オレンジ色のガーベラの花束が目の前に差し出される。その手のずっと上についている潤《うる》んだ熱っぽい瞳を見た瞬間、私は激しい恐怖を覚えた。なんだこれは。この目はなんだろう。なぜこんな目で私を見るんだろう。ガーベラの花弁がぐにゃりと歪《ゆが》んで見えた。私は恐怖におののきながらこわごわ花束を受け取り、泣きながら亘のところに飛んでいった。亘は嫌悪《けんお》と恐怖に満ちた私の顔を見てぎょっとしたが、逃げていった私をきょとんとした顔で見ている隣のクラスの男の子を見て、かすかに身をよじり苦しそうな目をした。

曇った生暖かい夕暮れだった。鬱蒼とした木々の塊が身をよじるように揺れる。町の小さなホールで開かれたピアノ教室の発表会のあとだった。

理瀬がいちばん上手で、いちばん可愛《かわい》かったよ。

稔が上機嫌で先頭を歩き、その後ろを私と亘がなんとなくうなだれて歩いていた。手に持ったガーベラの花束とぴかぴかに磨いた爪先《つまさき》が目に入る。レースの靴下。ストラップのついた黒い革靴。黒のベルベットのワンピース。きれいな女の子という偶像。完璧な女の子という商品。私は初めて稔の瞳の中の言葉に気が付いた。

木々が風に唸《うな》り、鳥の群れが巣に帰る。

宿題に使う本を借りようと亘の本棚を漁《あさ》っていた時、英和辞典の間からハラリと一枚の写真が落ちた。

何気なく取り上げ、次の瞬間チクリと胸の奥が痛む。

亘と一人の少女が並んで笑っている。清楚《せいそ》な、愛らしい少女だった。亘に寄り添うように立ち、かすかに腕が触れ合っている。私は動揺する。オレンジ色のガーベラの残像。胸に込み上げるどす黒い混乱に蓋《ふた》をするように、写真を辞書に挟んでぱたんと閉じる。

一雨ごとに季節はうつろっていく。夜の底を渡る風が眠りを連れていく。亘が遊んでくれなくなる。長い灰色の午後は続く。稔が夕食の席で、女連れで土手を歩いていたと亘を冷やかす。祖母が稔をたしなめ、亘は顔を赤くする。私は黙々とパンを摑《つか》み、スープを食べ残す。

ある日の午後、私がいつもの場所に座って兄たちの帰りを待っていると、家の前に大きな黒い車が止まった。赤いコートを着た、スラリとした大柄な女が降りてくる。そこだけ光が射《さ》しているようだった。見るからに特別な人。くっきりとした輪郭を持った大人の女。今までこんな人を見たことはなかった。こんなにも美しく、存在感があり、こんなにもどこか不吉な気配を漂わせた人を。

鳥肌が立った。もうすぐだ。もうすぐあの人は顔を上げる。次の瞬間、玄関の窓越しに私を見る。その時あの瞳の中に何を見るだろう？

パッと大きな瞳がこちらを見た。何か鋭いもので心臓を貫かれたような気がした。激しい羞恥《しゅうち》と恐怖に襲われる。でも、私は目を離すことができなかった。

その瞳が私を捕らえた瞬間、『?』という形が見えたような気がした。が、次の瞬間それは『!』に変わり、みるみる不思議な光に輝きだした。まるで雲に隠れていた太陽が顔を出すように、熱っぽい喜悦と興奮と、なぜかかすかに淫靡《いんび》なものとが溢《あふ》れ出す。

実際、彼女はくっきりと塗られた赤い口紅のついた唇の端を上げ、快哉《かいさい》を叫ぶかのようにゆったりと笑みを浮かべた。私は心臓を冷たい手で撫《な》であげられたような気分になった。身体《からだ》のどこかがざわざわしている。心のどこか思いがけない場所をこじあけられたような感触。

ゆったりとしたウエーブの髪をかきあげ、彼女はハイヒールで砂利を鳴らして玄関にやってきた。一瞬、私は玄関に駆け寄って鍵《かぎ》を掛けたい衝動に駆られた。この人を中に入れてはいけない。

身体を動かしかけた時、台所の方から小さな喚声が上がり、祖母が小走りに出てきた。祖母が興奮しているのは本当に珍しい。祖母は自ら扉を開け、彼女を招き入れ、紅潮した顔で抱き合って喜びあっている。

ああ、入ってきてしまった。私は徒労感を覚えた。

大きくなったわね、理瀬。

思いがけないハスキーな声が私を振り返った。私のことを知っている?

次の瞬間、私は自分の顔が凍り付くのが分かった。私の顔を見ている女がそのことに気付いたことも分かった。女は私が見ているものに視線を合わせる。

鉄の門が開き、亘がはにかんだ笑みを浮かべて一人の女の子を連れて入ってくる。写真で見た娘。写真で見るよりも遥《はる》かに可愛い、感じの良い娘を。


華やかで、賑《にぎ》やかで、それでいてぎくしゃくした夕食だった。

圧倒的な存在感で食卓を支配しみんなの中に入り込む女。しかし、私にはその女が我が家とどういう関係にあるのかよく分からなかった。親しげな女。話し上手な女。祖母も稔も彼女をよく知っているようだった。二人とも目をきらきらさせ、その女に夢中だった。亘はちょっと違っていた。その女に対して、戸惑うような、怯《おび》えるような奇妙な色があった。いや、それは私の考えすぎだったのかもしれない。彼は隣に座る可憐《かれん》な少女にすっかり気を取られていたのだから。

私は混乱し、自分に対して憤《いきどお》っていた。なぜだろう、この痛みは。なぜ私がこんなに居心地の悪い思いをしなければならないのだろう。これまでこんな経験はなかった。同性に対して、他の女の子に対して、こんなふうに全身の表面がピリピリするようないたたまれないいらだちを感じたことは。

私の目はその少女に吸い寄せられていた。華奢《きゃしゃ》な白いのど、ポニーテールにした柔らかそうな髪の後れ毛。いつも微笑《ほほえ》んでいるようなおっとりした瞳。あどけないぽってりとした桜色の唇。制服のカフスからすんなり伸びている細い手首。時折亘と視線を交わす悪戯《いたずら》っぽい茶色の目。無言で応《こた》える亘の瞳にも、甘い柔らかさがのぞく。潤んだ熱っぽい瞳。ガーベラの花弁が揺れたような錯覚を覚えた。

こんなのはおかしい。なぜ私はこんなに苦しいのだろう。なぜ大好きな亘が恨めしいのだろう。なぜこの愛らしい少女が憎く感じられるのだろう。私は味のしないシチューを口に運びながら、必死にその答を探していた。変だ。こんなのはフェアじゃない。

私は視線を感じた。全《すべ》てを見透かすかのように艶然《えんぜん》と微笑んでいるあの女の視線を。女は舐《な》めるような目で私の表情を見ていた。それは楽しんでいるようにすら思えた。そうだ、彼女は気付いているのだ。私が今とても『汚い女の子』になっているのを。悲しい宴《うたげ》は終わった。亘が少女を送っていく。二人の背中が門の向こうに消えるのを、私は玄関の闇《やみ》の中から見つめていた。

私はすぐに部屋に引っ込んだが、あの女と祖母たちの談笑する声が夜遅くまで家じゅうに響いていた。女は泊まっていくらしかった。

闇の中の天井はグロテスクな黒の甲羅に見えた。寝苦しい長い時間に、無数の罅割《ひびわ》れからさっき見た少女の笑みがのぞく。どくんどくんと嫌な音で心臓が鳴る。


闇の中の睡蓮《すいれん》。

夜中にそっと階下に降りてトイレに入った帰り、私はそっと北側の窓に立った。じっと目を凝らしていると、やがてぽっかりと青白い花が浮かんできた。光を放っているように見えるわね。

後ろから低い声が囁《ささや》いた。私は振り向かなかった。

溜《た》め息《いき》のような声が近付いてくる。

まるで宝石のようだわ。

睡蓮の花の下にはきれいな女の子が埋まっているの。

私は窓の外を見つめたまま呟《つぶや》いた。肩にじわりと重みを感じた。彼女の大きな手が肩にくいこむ。なんて大きな手なんだろう。私はチラリと彼女の手を見下ろした。きれいだが意外と骨ばっている。大粒のルビーの指輪が血の色に見える。

そう。理瀬のような女の子がね。耳元に息がかかった。

違うわ。あたしは汚い。

自分でも驚くほどきつい声だった。気まずい沈黙に、私は顔をそむける。

後ろで彼女がくすりと笑ったので、私は全身を強張《こわば》らせた。

ああ、あの女の子ね。お砂糖のような女の子だったわね。

かあっと頰が熱くなった。やはり見すかされていたのだ。

突然、肩に力が込められた。よく聞きなさい、理瀬。

その冷たく乾いた声にギクリとする。呪文《じゅもん》のように声が心に入ってくる。

あの子は睡蓮にはなれないわ。あなたとは違う。あの子は沼には入れないの。冷たい泥の感触を感じることはできない。さっきあなたは妬《ねた》んだでしょう、あの子の優しそうな無垢《むく》な表情を。あなたは今まで苦しんでいたでしょう、ベッドで何度も寝返りを打って。あたしはそんなあなたが好き。苦しみ傷つき自分を汚いと感じるあなたが好き。

彼女はひどくゆっくりと私の額に頰を寄せると、そっと私から離れていった。

静まり返った夜。窓の外にうっすらと浮かぶ幾何学的な花。

翌朝、一点の曇りもない晴れ渡った光の中を彼女は去っていった。

理瀬、あなたが大人になるのを楽しみにしているわ。

逆光の中、大きな手と握手をしながら私は考えていた。柔らかな髪のウエーブの輪郭がきらきらと輝いていて、表情が見えない。

この人は、女ではない。

黒いハイヒールが砂利を踏んで遠ざかっていく。祖母と稔が門まで出て彼女を見送る。私は玄関に立ったまま赤いコートの背中を見つめる。

昨夜、後ろに立たれた時、頬擦りされた時の違和感が、朝の光の中でくっきりと形になった。

あの人は男性だ。

風は徐々に冷たさを増す。高い空が冬の心細さを助長する。私は長い午後を一人で過ごした。枯れた野の道に、問いの分からぬ答えを探しながらゆっくりと歩く。

ふと、誰かに見られているような気がした。

顔を上げると、銀色の大きな車がこちらに向かって走ってくる。運転席の精悍《せいかん》な若い男がこちらを見て一瞬笑った。私はきょとんとして走り去る車を見送った。が、助手席に座っている娘に見覚えがあることに気付いた。亘の隣に座っていた少女。亘と共犯者めいたはにかんだ笑みを交わしていた少女。その少女がうっとりした顔を紅潮させ、口を大きく開けて笑っていた。それはなんとなくぞっとする表情だった。

枯れた野の中の一本道を遠ざかる車は、なぜか禍々《まがまが》しいものを運んでいるように見えた。

あの運転席の男。あの人も私は知っている。どこで会ったのだろう。

亘を覆《おお》っていたきらきらしたものが消えた。

冬の訪れと共に彼は塞《ふさ》ぎ込むようになった。

初雪を見た日、私は門のところで低く言い争う亘と少女を見た。最初、私はその少女があの夕食の席で亘の隣に座っていた少女だと分からなかった。少女は化粧をし、髪にウエーブをかけ、そして何よりも亘を見下す目付きに変わっていた。

途中で黙り込んでしまった亘に、少女はなじるように何かとげとげしい言葉を吐くと、足早に姿を消した。亘は一人、門のところに残された。暫《しば》く少女の行方を見守っていた彼は、やがて老人のような足取りでこちらに向かって歩いてきた。

私は階段の三段目に座り、嵌《は》め殺しの窓越しに疲れた表情の彼をじっと見ていた。

亘が顔を上げ、私に気付いて足を止めた。私たちはガラス越しに目を合わせた。

亘の目には何もなかった。もはや彼は、私の知っているやんちゃな少年ではなかった。そこには枯れた野原のような虚無があるだけ。

扉を開けて入ってきた亘は、無表情に理瀬は、と言いかけて口を閉じた。

なあに？　私は気のない声で尋ねた。

いや、なんでもない。亘は目をそらすと家の奥に入っていった。

が、私にはその続きが聞こえたような気がした。いつか彼の背中で聞いた質問。

リセハ、ゲンジモノガタリヲシッテイル？

数日後、私は亘の部屋のごみ箱に、あの英和辞典が無造作に捨てられているのを見た。そっと拾いあげると、くしゃくしゃの写真が挟まったページがバサリと開いた。

月も凍るような夜。

全てが寝静まり、闇すらも眠る夜。

私は一人、沼のほとりに立っていた。夜を映す鏡のような水面には、灰色の丸い葉がちらほらと浮かんでいるだけだ。

私はそっと身体をかがめ、ガウンの内側に隠してきた英和辞典を沼に沈めた。

たちまち音もなく姿を消し、聞き取れない呟きのような泡が一つぷくんと浮かんだ。

いつかあたしにも睡蓮は咲くかしら。私は空を見上げた。

水晶のような睡蓮。美しい睡蓮。

私は白い息を吐きながら、自分の額から伸びた透き通った大輪の花が、夜の闇に開いているところを思い浮かべていた。

ある映画の記憶

私の記憶では、その映画は白黒である。

日本映画。覚えているのは海辺の場面だ。

いや、海辺というよりも、既に海の中である。潮が満ちてきている海の中の岩で、着物を着た母子が言葉を交わしている。母親の方は、痛むのか胸を押さえて岩に腰掛けている。

不穏な潮騒《しおさい》が、二人の後ろに迫っている。

母親は、坊主頭《ぼうずあたま》の幼い息子に向かって言い聞かせる。一人で陸に向かって歩いて行きなさい。決して後ろを振り返ってはいけません。息子はそれに従う。波の音が追い立てるように轟《とどろ》き、どんどん潮が満ちてくる。息子は指示通りいっしんに陸に向かって歩く。

しばらく経《た》って、彼はふと後ろを振り返る。

そこは画面いっぱいの猛々《たけだけ》しい海。どこにも人影はない。荒々しい波があるばかり。息子の呆然《ぼうぜん》とした顔のアップ。

私は小学生だった。

十歳くらいだったと思う。母親とＴＶでこの映画を見ていた。見ていたのは夕方だったが、季節は定かではない。この場面が終盤にさしかかったクライマックスだったという確信はあるのだが、とにかく覚えているのはここだけなのだ。

印象は強烈だった。画面いっぱいに波が打ち寄せてくる、無人の巨大な海の恐ろしさに圧倒された。そこにいたはずの人間がいないという恐怖。母親の存在が、子供の目の前から消滅してしまったという衝撃。

その映画の記憶は、度々私の中で蘇《よみがえ》った。その存在が心のどこかで気に掛かっていた。

何年か経ってから、映画雑誌か何かで、記憶にある海の中の母子の写真を見て、その映画が『青幻記』という題名だということを知った。

せいげんき。あおいまぼろし。画面いっぱいの海。

叔父の葬儀の帰り道で、なぜかふと足元に波が打ち寄せてきたような錯覚を覚え、唐突にあの映画の記憶が蘇ってきた。

「ねえ」

私はひっそりと隣を歩いていた母親に尋ねた。彼女は少しだけ顔をこちらに向けた。

「僕が小学生くらいの頃に一緒にＴＶで見た映画でさ——『青幻記』って覚えてる？」

「何よ、急に」

母は、疲れた顔を少しだけ動かしてあきれた表情をした。仲の良かった叔父の死が応《こた》えているらしく、落ち窪《くぼ》んだ目元に粉が吹いている。

母は、いつも冷静で有能な女だった。子供の頃から、彼女が感情的になったところを一度たりとも見たことがない。

その母が、三十三にもなった目の前の図体《ずうたい》のでかい息子を、突拍子もない空想を喋《しゃべ》りだした幼児を見るような目で一瞥《いちべつ》したので、私は落ち着かない気分になった。

しかし、私は構わずに続けた。今ここで、確認しておかなければならない。なぜかそんな気がしたのである。

「最後の方しか覚えてないんだけど——海の中の岩に和服を着た母子がいて、母親は子供に一人で陸に向かって行けって言うんだ。でも、どんどん潮が満ちてきて、子供が振り返った時にはもう母親の姿は見えない」

「さあ——覚えてないわ。嫌な話ね」

母はそっけなく答えた。首に巻いたスカーフを結わえ直し、ハンドバッグから煙草《たばこ》を取り出す。

「ずっと我慢してたのよ。一服させて」

晩秋の夕暮れは早い。寒々としたオレンジ色の光が、母の頭の輪郭を浮かび上がらせていた。陰になった横顔から、くたびれた煙が吐き出される。煙草を吸わない私は、手持ちぶさたに立ち止まって、蟻《あり》のように流れてくる人々に目をやった。

喪服を着た弔問客が、ぞろぞろと二人を追い抜いて行く。儀式のあとの疲労と解放が、彼等の背中を薄く見せている。

叔父は業界では名の知られた舞台監督だったので、弔問客は多かった。

病院で、彼はちゃんと自分の葬儀のスケジュールを立てていた。叔父の残した進行表通りに葬儀は進行した。会場では、叔父の用意したテープが流れていた。曲は、かつて大ヒットした尾崎紀世彦《きよひこ》の『また逢《あ》う日まで』だった。

「なんでそんなことを思い出したの？」

母がどこか警戒するような目付きでこちらを見たので、私はきょとんとする。

「どうしてかな――判《わか》らないや。なんとなくふっと」

母は無表情な目になって低く呟《つぶや》いた。

「悦子さんが亡《な》くなった時のことを思い出したんじゃなくて？」


フランスの有名な僧院にモン・サン・ミシェルというのがある。

大西洋に面した湾に浮かぶ島がまるごと城塞《じょうさい》のようになっていて、干潮時には巨大な干潟《ひがた》となってフランスと地続きになるが、満潮時には深い海原が僧院を孤島にする。

以前読んだ推理小説に、ここを舞台にしたものがあった。冒頭に、干潟で調査をしていた老人が、突然の上げ潮に驚く場面がある。


潮が満ちてきた！　そんなに時間を忘れるなんてことがあるだろうか。とても信じられない。が、あの音や先触れに流れてくる冷たい潮風はまぎれもなかった。

〝いかずちの音を轟かせ、ひた走る馬の速さで、モン・サン・ミシェルに潮が満ちてくる〟と古いブルターニュのわらべ歌にある。

老人はそんなたとえの助けを借りなくても、自分の身に迫った危険を理解していた。上げ潮の速度は疾駆する馬に匹敵するとは言えないまでも、光り輝く水の膜が時速二十五キロ近い速さで、絶え間なく転がり、くずおれながら湾めがけてひたひたと押し寄せてくるのだ。高波の怖れはない。しかし浸潤するようにひそかに寄せる水は、今ないかと思うと、次の瞬間足首を洗い、そして腰の高さに……。

私は文庫本をぱらぱらめくりながらその場面を読み返していた。

受話器の向こうに、人の戻ってくる気配がした。

「すまん、待たせたな」

「いや、こちらこそ忙しい時に個人的な頼みで申し訳ない。今度一杯奢《おご》るよ」

「覚えとくよ。さて、お尋ねの『青幻記』だが、山本周五郎じゃないね。一色次郎という人が書いた本だ。これ以外にはほとんど目立った作品を出してない」

「え、山本周五郎じゃなかった？」

「うん。ええと、奥付は昭和四十二年八月八日か。三十年くらい前に出た本だね。大きな図書館に行けばあると思うよ」

「そうか。ありがとう」

暫《しばら》く世間話をしてから電話を切った。

山本周五郎じゃなかったのか。

私は、『青幻記』には原作があると思っていた。それというのも、かつてどこかの図書館の本棚の背表紙で、このタイトルを見たことがあったからだ。その当時はたいして関心はなかったが、視界の片隅にそのタイトルが入っていて、「ああ、あの映画には原作があるんだな」と思ったのを覚えている。山本周五郎の作品のひとつだと思っていたのは、私の勘違いだったらしい。

この機会に原作を探してみようと思い、山本周五郎の作品をチェックしてみたのだが見当たらず、老舗《しにせ》の出版社に就職していた大学時代の友人にたずねてみたところ、さすがプロ、たちどころに返事が返ってきた。私は読書好きだし、文学関係は一通り押さえていたつもりだったが、その作者名は聞いたことがなかった。

会社の帰りに図書館に寄り、パソコンの画面に書名を入れて検索すると、区の中央図書館にあることが判った。そのまま中央図書館に行く。

天井の高い、静謐《せいひつ》な空気が懐《なつ》かしい。どっしりした木製の大きな本棚が整然と並んでいるところを見ると、なんとなくホッとする。通路に置かれた丸椅子《まるいす》に、スーツを着た中年男性が腰掛けて熱心に本のページをめくっていた。

私はなんとなくドキドキしてきた。子供の頃以来会っていなかった友人と対面するような気分だ。

あった。

その本は、本棚の片隅にあっけなく見つかった。

古い本だった。薄い、シンプルな本。

私は、青い文字でタイトルの書かれたその本に手を伸ばした。


「見た目に騙《だま》されちゃいかん。この辺りは浅いように見えるけど、とても速い潮の流れがあって、何人も沖にさらわれてるんだぞ。大人の膝《ひざ》の高さの場所で溺《おぼ》れた子供もいる」

こう言ったのは誰だったのだろう。地元の、近所の人だったのかもしれない。

父の田舎の海は、赤い浮きで囲まれた遊泳禁止の区域が多かった。一見、みんなが泳いでいるところとなんら変わらない。むしろ、泳ぎやすそうなところばかりに意地悪をしているように見えた。きっと、私が不満そうにしていたのだろう。もしかすると、その人に遊泳禁止の理由を尋ねたのかもしれない。当時、水泳教室に通っていて、二十五メートル泳げるようになったばかりだった私は、海の中を沖に向かって泳いでみたかったのだ。すると、その人は、怖い顔でこう言ったのだった。

それを近くで聞いていた母が震え上がって、絶対にあそこでは泳がないように、と私に厳命した。小心者の私も、毛頭そんな気はなかった。終始、浅い波打ち際《ぎわ》でぱしゃぱしゃすることで満足した。

その数日後、事故は起きた。

叔母の堂本悦子が、海水浴場の外れの入り江で死亡したのである。

それも、いささか奇妙な状況での死であった。


なぜあんな重要な出来事を、母に指摘されるまで忘れていたのだろう。

本のページをめくりながら、私はそちらの方が不思議だった。

言われてみれば、あの日のことはくっきりと思い出すことができる。

夏休みの終わり、母と、叔父夫婦と、四人で過ごした田舎の休日の最後の日だった。

前夜の激しい雷雨が嘘《うそ》のように晴れ上がった穏やかな海辺の一日。大雨のあとだけに、水温が低くて長時間泳ぐのには適さなかったけれど、ゆったりした時間の流れは子供の夏の記念日としては上々だった——

　私は追憶を打ち切り、本に専念した。

『青幻記』は、淡々と亡き母親の思い出を綴《つづ》った、叙情的な小説だった。主人公が母の墓参りをする現在のオキノエラブ島での出来事と、母と最後の時を過ごした幼時の島での記憶とが交錯する。島には、死期の迫った者だけが戻ってくるという不文律があった。主人公の母は結核を患《わずら》い、幼い頃から離ればなれになっていた息子を連れて島に帰ってくる。帰ってきた娘を目にして、老いた母は娘を抱き締めて号泣するのだ。さまざまな事情から離れて暮らしていただけに、息子の母親への思慕は一際《ひときわ》大きい。母も息子と過ごせる時間は短いことを知っているが、不治の病、しかも感染する病なので息子を思い切り抱き締めることすら適《かな》わない。

　一歩間違うと女々しい感傷に墜《お》ちていきそうなところを、全体を貫く透明な哀《かな》しみに満ちたトーンが、危ういバランスで踏みとどまらせている。

　映画で見た海の中の場面は、やはり胸に迫った。

　貧しい母子は、珊瑚礁《さんごしょう》の水溜《みずた》まりで魚取りをするのに夢中になって、上げ潮が迫ったことに気付くのが遅れる。

真夏の町を歩いていると、不意に足もとへ水が流れて来て、おどろかされることがある。足を止めてそちらを見ると、水桶《みずおけ》を持った見知らぬひとが、数歩先で、頭をかいている。それと、そっくりのことがおこった。

ホウのまわりに並べた魚が、五六匹いっしょに、すーっ、と浮いていった。魚は、全部死んでいるはずである。が、私は、そのことを忘れて、

「あ、魚が逃げる」

と、母を呼んだ。そして、魚をさらっていった波に目をむけたとき、私は、まわりの様子が変っていることに気がついた。

魚が、自分から逃げるわけはなかった。上げ潮が、母と私のすぐうしろまで差して来て、さらっていったのだ。広いサンゴ礁のなかほどにいたつもりだったのが、いつのまにか、片がわ半分はすっかり白い泡におおわれている。

母親の方は、すぐにその意味するところを悟る。急いで逃げようとして、彼女は身体《からだ》の異状に気付く。

「わたし、どうしたんでしょうねえ。胸が……」

母は、ビクを持って歩こうとした。ほんとうは、その場にしゃがんでしまいたかったのかも知れない。

近くに、卓状の岩があった。母は、ホウのふちをまわって、そこへ行こうとしている。私は、右がわから母の腕をささえた。

「どうしたの」

「どうしたんでしょうねえ」

と、言いかけて胸をおさえる。母の顔は、みるみる、肌がザラついて行った。上げ潮が、母と私の足首をひたし、思いがけないほどねばりのある力で引いた。

ホウをまわると、岩はすぐ目の前だ。二三歩手前から、母は、倒れこむようによろめいて、岩のふちにつかまり、

「稔《みのる》さん、背中を……」

と、いいながら、その上へ這《は》い上って行った。

このあとに、私があの時映画で見た場面が続くのだ。

私はそのまま最後まで一気に『青幻記』を読み終えると、小さく溜め息をついた。

あの日。

私は叔父と砂のお城を作っていた。手先が器用で、私がよちよち歩きの頃からお手製のおもちゃを持ってきてくれていた叔父は、私のヒーローだった。父を早くに亡くしたせいもあって、叔父はよくうちに来て、私に物作りの面白さを教えてくれた。私が高校の演劇部に入ると、自分が舞台監督をしている公演に招待してくれ、時々舞台裏にももぐりこませてくれた。舞台美術出身で舞台監督になった人らしく、大道具や小道具が大好きだった。本物よりも本物らしい雲を描く名人や、発泡スチロールを削って彩色して木製の仏像を作っている人、舞台に並べるアンティークのおもちゃを集めて小道具の予算をオーバーさせてしまった人など、わくわくするような世界の住人たちを紹介してくれた。

この時も、公演先からワゴンで田舎に直行したので、不採用になった小道具や、次の公演の試作品を見せてくれた記憶がある。

本物に見えればいいのさ。本物だったら本物に見えるかって言うとそうじゃない。歌舞伎《かぶき》の刀だって、着物だって、みんな誇張されている。舞台で見た時に本物らしく見えればいいんだ。そういえばね、俺の友達に模型屋がいるんだけど、プラモデルもデフォルメされてるそうだ。本物をきちんと縮小したものを作っても、車っぽく見えないんだって。俺たちがいつも見ている車は、正面や横から見た車だね。ところが、プラモデルを作る時には、空から見下ろす形になる。実際に空から見た時の車は、俺たちが普段見てこれが車だと思っているものとは違う。だから、普段見ているイメージに近いように、車高と車長の比率を変えているんだって。

砂の城を作るのは難しかった。波打ち際では波に押し潰《つぶ》されるし、かといって波打ち際を離れると、砂が乾いていて城を作るだけの粘性がない。叔父は真剣になって考えていたが、やがて波打ち際から水路を引いて、常に水が流れ込む濡《ぬ》れた窪《くぼ》みを作り、そこで砂を調達して城を作る方針にした。

悪戦苦闘の末、とりあえず城らしきものが出来て、二人で万歳をした。

あれ、悦子はどこ行ったんだろ。

一段落して、叔父がふと辺りをきょろきょろした。

絵を描いてるんじゃないの？

叔母は神経質な人だった。身体があまり丈夫ではなく、海に来ても本を読んだり絵を描いたりしていた。絵を描く趣味が共通していたことで叔父と知り合ったのだそうだ。

私と叔父はぶらぶらと叔母を探した。

海水浴場の外れに、人気《ひとけ》のない静かな入り江があった。

入り江に行くには、切り立った崖《がけ》の折れ曲がった一本道を降りていかなければならない。

道がぱっと開けると、入り江の浅いところに転がっている大きな岩の上で、叔母が砂浜に向かって絵を描いていた。崖の上の風景を描いているらしく、せわしなく上を見上げる。赤いワンピースに麦藁《むぎわら》帽子とサングラスを着け、いっしんに筆を走らせていた。

おばさん、夢中だね。

あいつも凝り性なんだ。おい！

叔父が呼ぶと、叔母はぱっと顔を上げ、私たちに気付くとこちらに手を振ってみせた。

ここは満潮になると、地形の関係で深くなるから気をつけろよ。おまえは泳げないんだから。

叔父は大声で叫んだ。しかし、その叔父も泳げないことを私は知っていた。あんなに好きな舞台でも、水が苦手だから水を使う演出だけは嫌がるんだよ、と知り合いの小道具さんがこっそり私に教えてくれたのである。

私は叔父の言葉が信じられなかった。その時の風景は、せいぜい足首くらいの深さで砂が透けて見えるだけの、のどかな遠浅の入り江としか目に映らなかったのだ。

私と叔父が砂の城のところに戻ってきて別館を建てるかどうか悩んでいると、母が海の中から私を呼んだ。

あんたたち、よくやるわねえ。いらっしゃい、海で泳ぐコツを教えてあげるわ。

私は、自分の水泳教室の成果を母に披露したが、海の中ではいまいちだった。母は私を褒めてから目の前で泳いで見せてくれたが、優雅で力強い泳ぎなのに感心した。

のどかな午後は続き、太陽がゆっくりと傾いてきていた。

しばらくして、私たちは浜辺がザワザワと騒がしいのに気付いた。

一人の女が顔色を変えて何か叫んでいる。

娘が行方不明になったというのだ。

監視員たちが、女をなだめるように話を聞いている。

怖いわねえ、どこに行っちゃったのかしら。

母が顔をしかめた。

大人たちが手分けして周囲を探し始めた。海の中に入って立ち泳ぎをしながら子供の名前を叫んでいる監視員もいる。浜辺は不穏な空気に包まれた。私たちは寄り添いあってなりゆきを見守っていた。

おい、入り江で誰か倒れてるぞ。

散っていた大人の一人がこちらに駆けてくるのが見えた。浜辺の人々が注目する。

男は身体の前で手を振った。

子供じゃない。赤い服を着た女だ。

私たちはぎょっとしてそちらを見た。叔父と私と母は顔を見合わせる。

三人で入り江に向かった。転がるように、折れ曲がった一本道を降りていく。

私は、目の前に広がる風景にあぜんとした。

入り江はごうごうと唸《うな》る青い海原に変化していた。さっき目にした牧歌的な海はもうどこにもない。荒々しい風景の中に、さっきの巨大な岩はわずかなスペースしか残されていなかった。その真ん中に、赤いワンピースを着た女が俯《うつぶ》せに倒れている。

私たちは悲鳴を上げた。なす術《すべ》もなく叔母を見守っていると、沖からボートを近付けると誰かが叫び、叔父がはじかれたように駆け出していった。

じわじわと叔母の倒れている岩を飲み込んでいく海を、母と別の大人と三人で固唾《かたず》を飲んで見つめていた時間は永遠にも思えたが、実際は四、五分だったのではないだろうか。

波の上には夥《おびただ》しい松葉が揺れていた。何か言葉を見つけようと私がそう言うと、昨夜、崖の上の松林にも落雷したのだと男は答えた。

やがて、大きな音が沖から近付いてきた。白いボートに、叔父と、屈強そうな男が二人乗っている。波に揺られながらも、ボートはようやく岩に辿《たど》りついた。叔父が真っ先に岩に乗り、ハッとしたように叔母に触れた。もう、こときれていることに気付いたのだろう。叔父は気を取り直したように叔母を抱え上げ、男たちの手を借りて叔母をボートに載せた。

叔父さん、水が嫌いなのに。

私は、叔母の死のショックよりも叔父の勇気の方が印象に残っていた。

顔を上げると、岩はもうほとんどが波に飲まれてしまい、座布団《ざぶとん》くらいの白いスペースがかすかにのぞいているだけだった。

しばらくして、呆然《ぼうぜん》とした真っ青な顔の叔父が戻ってきた。

ぼんやりと私たちの顔を見回し、ゆっくりと左右に首を振る。


一変した入り江の光景。

脳裏に、まざまざと、荒々しい海原と恐ろしい潮騒《しおさい》が蘇《よみがえ》った。

そうか――だから、あの映画のあの場面が強く焼き付いたに違いない。私は自分がしまいこんでいた記憶の鮮烈さに驚かされた。本の最終ページを開いたままになっているのに気付き、作者のあとがきを読んだ。驚いたことに、この話は実話らしい。作者の母親は、珊瑚礁で海に飲まれたのだ。

……私は、亜熱帯の、石の上で生まれた。そこは南西諸島のオキノエラブという孤島で、この島は、全島サンゴ礁である。サンゴ礁はいまさら解説するまでもない。「腔腸《こうちょう》動物」の死骸《しがい》の累積である。つまり、石の島であり、死の島である。

この島には、土がない。いや、あるにはある。が、それはサンゴ礁の表面が何万年もの間、潮風にさらされ風化して出来た石の粉である。内地の平野の水分をたっぷり含んだ黒土を連想するとちょっと違う。島の人々は、その石の粉を掻《か》きあつめてサトウキビを植え、野菜類の種をまく。底が浅いから畝《うね》をつくることも出来ない。野菜の根はまっすぐのびずに横へひろがるから、度の過ぎた台風が襲来すると、枯葉のように天空へ舞上がる。……

死の島。死の海。あとがきを読みながら、再び記憶が蘇ってくる。

叔母の死は奇妙だった。

彼女は、溺死《できし》していたのである。

泳げなかったのだから、海の中だったら溺《おぼ》れて死ぬのは当然だろう。

しかし、彼女は岩の上にいた。

急な上げ潮に驚いて、逃れようとしたが潮に飲まれてしまい、溺れかけて岩に上がり、力尽きて死んだのだろうか？

だが、そうではなかった。彼女の服は乾いていたのだ。

みんなが首をひねっていた。検死結果は紛れもなく溺死だったが、彼女はいったいどうやって溺れ死んだのだろう？　叔母は泳げないし、服も乾いていたから、彼女が岩の上から動いた様子はない。かと言って、誰かが岩に近付いた様子もなかった。入り江に行く道は一つだけ。海水浴場の砂浜から切り立った崖の曲がりくねった一本道を行くしか方法がない。その前には売店が出ていて、その道に私と叔父が通ったあとで入っていった者はいないとそこの売り子が証言している。しかも、入り江は潮の流れが早いのでそこを囲む海はぐるりと遊泳禁止になっており、監視員が見張っている。ボートで近付こうにも、かなり大きな音がする。

みんなが不思議がったが解答は出ず、叔母の死という事実だけが残った。

入り江の中で、叔母のスケッチブックが漂っているのを誰かが見つけてきた。かなりできあがった崖の絵がぐっしょりと濡れていた。

これで『青幻記』が私の記憶に刻みこまれた理由は分かった。原作も読んだし、これで終わってよいはずなのだが、本を読み終わって図書館に返してからも、何かが引っ掛かっているようで、なんとなくすっきりしなかった。映画の潮騒と、私の記憶の中の潮騒とがだぶって、時折心の中に押し寄せてくる。

子供の頃叔父に教えられた物作りの面白さは私の中に残っていたらしく、大学は建築科を受け、たいした成績ではなかったものの、無事卒業して中堅のゼネコンの設計室にもぐりこんだ。私の残業が多い上に、父の会社を引き継いで毎日奔走している母と、同じ家に住みながらも食事をする機会はめったにない。叔父の死に衝撃を受けていた母も私も、日々の仕事に忙殺されているうちに徐々に平穏さを取り戻し、彼の存在は遠くなっていった。

ところが、そんなある日。細かいけれども単調な図面を引いていると、突然パソコンの画面に海原が広がっているような錯覚を覚えた。

パソコンの画面が、海原を映すTVの画面に見えた。

私はハッとした。

映像の方なのだ。

私がショックを受けたのは、あの映画のあの場面の映像だった。当時、『青幻記』だと知っていたわけでも、原作を読んでいたわけでもない。私はあの場面を見てショックを受けたのだ。なぜだろう？

そう思い付くと、今度は無性に映画が見たくなった。ビデオは出ているのだろうか？　ビデオが出ているかどうか、どうやって調べればいいのだろうか？　見たい。すぐにでも見たい。

またしても友人を頼ることにした。高校時代の演劇部の仲間が、小さな映画配給会社に勤めていることを思い出したのである。何人かの友人をつたって彼女の声を聞いた時には、思い付いてから三日経《た》っていた。

受話器の向こうで、懐《なつ》かしいというよりは意外そうな調子を声に滲《にじ》ませて、彼女は私の唐突な頼みを聞いていた。

「いいわよ、会社の先輩に日本映画フリークがいるから、聞いてみてあげる」

彼女は二つ返事で電話を切った。

世の中には詳しい人というのがいるものである。三十分もしないうちに返事が返ってきた。

「ビデオ、出てるわよ。しかも、その先輩、自分で持ってるから貸してくれるって」

彼女の会社は、渋谷《しぶや》駅から恵比寿《えびす》方向に少し歩いたところの雑居ビルにあった。彼女がここ数日は会社に詰めて仕事をしているのと、私の家のビデオが壊れていたのとで、私が彼女の会社に寄ってこっそりビデオを見せてもらうことになったのである。

アットホームな小さなオフィスはポスターの束やビデオテープの棚でぎっしりと埋まり、区切られたブースの向こうでは英語やフランス語が飛び交っていた。交渉中らしく語気が荒い。

「ま、勝手に見てて。コーヒーそっちにあるわよ」

彼女はビデオテープを私に渡すと、打ち合わせスペースにあるＴＶを指差し、挨拶《あいさつ》もそこそこに仕事に戻っていった。

私はそっとビデオテープの表紙を見た。

記憶の中の場面がそこにある。

青幻記。監督、成島東一郎。一九七三年。青幻記プロダクション制作。

監督はこの原作に惚《ほ》れ込み、この映画を作るためにプロダクションを設立し、完成させたのだと解説されていた。原作が発表されてから六年後だ。

私はじんわりと緊張しながら、ビデオテープを押し込んだ。

映画が始まる。

私はあぜんとした。

私の記憶と違って、映画は極彩色だった。どちらかと言えばうらさびしい日本海というイメージだっただけに、南国の海や花の鮮やかな色彩は私を圧倒した。監督は名カメラマンとして鳴らした人らしく、構図も色調も、どれもピタリと決まって迷いがなかった。

私は徐々に映画にひきこまれていった。

原作に惚れ込んだというだけあって、実に忠実な映画化だった。まだ原作が頭の中に焼き付いていたので、台詞《せりふ》もほとんど同じだということが分かった。主人公のナレーションと、原作の地の文とが重なり合って聞こえてくるような気がした。

祖父の再婚相手に疎《うと》んじられ、祖父の残したがらくたの発明品を行商させられる少年。

島いちばんの踊り手だった母が、死を目前に踊る奇跡のような舞い。

母の死を理解できずに、ユタの言葉をきょとんとして聞く少年。やがて少年だけに聞こえてくる母の声。

稔さん、あなたを一度でいいから、力いっぱい、抱いてみたかった。

現在と過去が錯綜《さくそう》し、やがて映画は、クライマックスの珊瑚礁《さんごしよう》の場面へと導かれる。


母は、私に長く介抱させなかった。すぐにも、どうにかしなければならないときだったからだ。私が、母の背中をさすったのは、極めてみじかい時間である。が、母はその間に何かを決心したのだ。何かを。

「もう、いいわ。ありがとう」

と、いって、母は、ゆっくり私のほうへ向きを変えた。顔色がいくらか、落着いたようである。その青ざめた頰に、母は、光るような凄《すさ》まじい微笑をうかべている。母のうしろには、青空がひろがり、肩のあたりに、雲が浮いていた。そのとき、私はどういうものか、母を非常に遠く感じた。母の顔が、雲の上にあったせいかも知れない。母が、雲の上から私に呼びかけた。

「稔さん」

私は、このときいきがつまった。それは、聞いたこともないような声であったからだ。非常に、やさしかった。私はそれまで、こんなにもやさしい母の声を聞いたことがなかった。気味が悪いほどそれはやさしかった。

私は、しばらく、何もいえなかった。その私の顔を見おろしながら、母は、おさえつけた声で、話しかける。

「お母さんはねえ、稔さんに、おねがいがあります。お母さんのいうことなら、稔さんは、どんなことでも聞いてくれますねえ。聞いてくださるでしょう。お返事してください」

私は、ひとつ、こっくりをした。母の胸は、せわしくあえいでいる。しかし、言葉は、まだしっかりしていた。

「お母さんは、なんだか、胸がくるしくなりました。それから、手足がしびれて、動けなくなりました。たいしたことはないように思うんですけど、歩けません。それで、稔さんにおねがいというのは、ホレ、うしろを見てください。崖《がけ》に、裂け目がありますね。あそこが、のぼり口になっていると思います。稔さんは、あそこへ、いっしょうけんめい、いそいでほしいの。そして、誰か、呼んで来てください」

母を、ここに、ひとり残して、早く帰れということである。私は、ぼんやり、母を見上げて、

「お母さんは、どうするの」

「お母さんは、ここで、この岩の上で、待っています」

「波が来たら、どうするの」

「この岩は、乾いています。波をかぶりません。お母さんは、稔さんが助けに戻ってくださるまで、この岩の上で、かならず、待っています。稔さんは、きっと、お母さんを、助けに来てくれますね」


岩の上で――

赤いワンピースが目の前に浮かんだ。鮮やかな赤。叔母の服は乾いていた。乾いた岩の上で。足元に押し寄せてくる波。濡《ぬ》れた足。濡れた砂。崩れる砂の城。波に打たれて跡形もなくなる城。流れる砂。石の粉。この島には、土がない。あるにはある。潮風にさらされ風化して出来た石の粉である。度の過ぎた台風が襲来すると、野菜が枯葉のように天空へ舞上がる――

真っ青な海。押し寄せてくる上げ潮。画面いっぱいに轟《とどろ》く潮騒。

私は、自分がかすかに震え出すのを止めることができなかった。

　私は、いわれた通りにしなければいけないような気がして、ビクに両手をかけた。するると、母は、私の両手をしっかりおさえた。痛いくらいに強くおさえた。みるみる母の表情が崩れた。これ以上つくり笑いをうかべていられない、といった顔だった。母は、思い切ったように叫んだ。

「稔さん、お母さんって、呼んでください。さっきから、まだ、一度しかいってくれないじゃないの！」

「お母さん！」

「稔さん、もう、一度……」

「お母さん！」

　海鳴りに消されることを恐れて、私は高い声で叫んだ。

「お母さん、いって来ます」

「ありがとう。水の青いところへはいってはいけません。黒い岩を踏んでいそぐんですよ。お母さんはね」

　と、いいながら、母は、両手を肩にかけて私の向きを変えさせた。肩を握りしめ

たまうしろから、

「ここからこうして稔さんをずっと見ています。いそぐんですよ。いそがないと、間に合わなくなりますよ。それから、どんなことがあっても、うしろを振向いてはいけません」

私は、胸がふるえて返事が出来なかった。その私に、母はむりに約束させた。

「向うへ行き着くまで、どんなことがあっても、うしろを見てはいけませんよ。約束してくれますね」

私は、うなずいた。母は、私の背中をおした。私は、母の岩をはなれた。

水の嫌いな叔父。水を使った演出を嫌がるんだよ。波打ち際《ぎわ》を離れて、砂の城を作った。ボートから岩の上に飛び出す叔父。木の葉のように揺れるボート。本物らしく見えればいいんだ。本物だからって、本物に見えるとは限らないんだから。海面で揺れていたたくさんの松葉。ゆらゆら、びっしりと波間を埋めている。前の晩は、大雨だった。雷の音で、よく眠れなかった。ぐっしょり濡れたスケッチブック。未完成の絵。

私の頭の中の映像と、目の前のＴＶの画面が交錯する。

画面の中の少年は、いっしんに駆けている。崖の上に抜ける道目指して、母に言われた通り、足元に押し寄せる波に逆らい、進んでいく。ようやく絶壁が目の前に迫り、岩肌の裂け目に続く道を見つける。波に押されるようにして、少年は陸に這《は》い上がる。そして、彼は後ろを振り向く。


岩は、あった。しかし、それは、一枚の板の厚みになっていた。

岩は、たしかに、あった。けれども、その上に、母の姿はなかった。


少年は母の名を絶叫する。


深夜、玄関の鍵《かぎ》を開けて家に入ると、母が私の名を呼んだ。まだ起きていたらしい。

「食事は？」

「済ませてきた。すぐ寝るよ」

「そう。おやすみ」

ダイニングキッチンのテーブルで、母が帳簿を広げながら電卓を叩《たた》いていた。

細い首すじが目にこたえた。

ずっと一人でやってきて、誰かに頼りたいと思わなかったのだろうか。全《すべ》てを放り出したいと思ったことはなかったのだろうか。疲れた時に寄り掛かる肩を求めたことはなかったのだろうか。

私はそっと階段を登って自分の部屋に入った。

部屋の明かりを点《つ》けずに、どさりと椅子《いす》に座る。

が、すぐに青い潮騒《しおさい》が押し寄せてきた。

そう――私はちゃんと気が付いていたのだ。あの入り江を見た時から。最初と、二回目と、それぞれをきちんと見ていたのだ。だからこそ、あの出来事を自分の記憶から葬《ほうむ》り去っていたのだ――

溺死《できし》していた叔母。

当然だ。海で溺れたように見せかけるために、叔父が海水を入れた洗面器か何かに頭を突っ込んで溺れさせたのだから。

子供が行方不明になるなんて、誰も予想できなかったのだ。入り江はいつも人気がなかった。上げ潮になるまで、誰かがやってくるなんて思わなかったのだ。叔母《おば》は予定よりも早く発見されてしまった。だから、あんな奇妙な状況になってしまったのだ。

そういえば、あの時の女の子は見つかったんだっけ？

急に気になったが、思い出せなかった。

本物らしく見えればいいんだ。石の粉が島の上に載っている。

叔父の言葉や、『青幻記』のあとがきの言葉が、ひとつひとつ意味を持って私に迫ってきた。

叔父はワゴンに乗って公演先からやってきた。叔母の死体を入り江に運ぶために。

正確には、叔母の死体を載せた大道具を運ぶために。

予想外だったことはもう一つあった。思ったよりも、岩が沈むのに時間が掛かってしまったことだ——いつもと高さが違ってしまったのだからしかたがない。

そうだ。

私が衝撃を受けたあの映画の場面。

海の岩に女がいる。次の場面では、女がいない。岩が、上がった海面に飲み込まれる。

違うのだ。

私は頭をかきむしった。私が実際に見た場面はそうではない——岩が、上がった海面に飲み込まれたのではない。

岩の方が下がったのか。

叔父は岩を作った――素材はなんだったのだろう――水に溶けるもの――塩かもしれない。彩色して、岩そっくりに見えるものを作った。現地も取材しただろう。もともと入り江にあった大きな岩に載せる岩。入り江から見た時に、反対側に叔母の死体が載せてあるのが見えないくらいの高さの岩。上げ潮に洗われるにつれて、叔母を載せた岩は溶けてゆく。

私は気付いていた。入り江と崖を見比べ、岩の高さが変わっていることを。

水嫌いの叔父が、ボートから岩に真っ先に上がったのも、岩のにせもの部分に気付かれないようにするためだったのだ。

どこかで叔母を突き落としてもよかったのに、なぜあんな回りくどい方法を取ったのだろうか。アリバイ作りのためだ。私と岩の上の叔母を目撃し、自分には機会がないことを証明するためだ。つまり、叔父は、自分には疑われる理由があると思っていたということだ――もしかして、叔母とはうまくいっていなかったのだろうか。私が知らなかっただけで、周囲の人には知られていたのかもしれない。

私は気付いていた。ぐっしょり濡れたスケッチブックの絵を見た時に。

崖の絵。あの絵には崖の上の松林が描かれていた。前夜の落雷で折れてなくなっていた松の大木が描かれていた——あの絵は、前日に叔父が描いた絵なのだと。

叔父は私を愛していた。私も叔父を愛していた。叔父には子供がなかった。叔父は、私の父になりたいと思っていたのだろうか？　それほどまでに私を愛していてくれたのだろうか？

潮騒が響いてくる。過去の記憶から。記憶の底の風景から。

そう——私は気付いていた。最初から。あの瞬間から。映画など見なくても。

岩の上にいたのは私の母だと。

赤いワンピースを着て、ロングヘアのかつらとサングラスを着けていたとしても。

以前何かのTV番組で見た——仕切りを隔てて、何人もの子供が手首から先を出している。母親は手を見て自分の子供を当てるのだ。誰も迷わなかった。どの母親も、ぱっと見た瞬間に、自分の子供のところに向かっていって手を握った。仕切りを外すと、間違った母親はいなかった。みんな恥ずかしそうににっこり笑っていた。

私は「すごいなあ」と感心した。一緒に見ていた母は、「あたしだってすぐに分かるわよ」と言った。

そうだ。子供だって分かるのだ。見た瞬間に、それが自分の母親だと。あの時岩の上に座っていた女。あの首筋や、肩の線は紛れもなく私の母だった。あのあと母はワンピースを自分の後ろに横たわっていた叔母に着せ――それとも同じ服を用意していたのか――下に着ていた水着で海を渡ってきた。母は相当泳ぎがうまかったし、もしかするとシュノーケルか何かも隠していたのかもしれない。遊泳禁止区域に入る者は見張っていても、入り江の方から潜って出てくるのには気付きにくかっただろう。

なぜ母は叔父のアリバイ作りに協力したのだろう。叔父を愛していたのか。自分のためか。私のためか。

なぜ母は叔父と再婚しなかったのだろう。自分のためか。私のためか。

潮騒はますます激しくなって打ち寄せてくる。

私はゆっくりと部屋のドアを開けた。

階下の廊下に、キッチンのオレンジ色の明かりが弱々しく漏れている。

私は闇《やみ》の中から下に向かって小さな声で呼び掛けた。

頭の中に、沖を振り返り絶叫する小さな少年の顔が浮かぶ。

おかあさん？

ピクニックの準備

予報によると、明日はよく晴れるらしい。

ラッキー。

甲田貴子《たかこ》はリュックの中から折り畳み傘を取り出した。降らないと決まれば、一つでも荷物は減らした方がいい。それでなくとも、荷物を背負って八十キロ歩かなければならないのだ。しまいの方では肩が凝り、背中が凝る。リュックが上半身と一体となって、汗で境界線がなくなる。

ついに三回目の「ピクニック」が来たか。

ベッドの上であぐらをかいて、明日の荷物の準備をしていた貴子は、勉強机の前にかけてあるカレンダーを見た。この「ピクニック」が終われば、カレンダーもあと二枚。卒業式を除けば、事実上学校行事は全部終わるのだ。そしてそれは、受験勉強一色の生活に突入するということでもある。それまでは思い出作りを口実に先送りにしてきたのが、もはやどこにも逃げ隠れできなくなる。

とうとう、西脇融《とおる》とほとんど口をきかないままここまで来ちゃったな。

カレンダーをぼんやり眺めているうちに、そんなことを考えた。

あの春からもう三年近く経《た》っちゃったんだ。

貴子は制服の衿《えり》の隙間《すきま》から忍び込む冷たい風を感じた。

早春の雨はひどく冷たく、誰かが泣いているみたいだった。

赤い傘が目に浮かぶ。

女ものの赤い折り畳み傘を持ち、母親の肩を抱いてじっとこちらを睨《にら》みつけていた融。その瞳《ひとみ》には、はっきりとした非難の色があった。この二年半、あの瞳が片時も貴子の中から消えたことはない。

思えば、あれは入学式の前の日だった。お父さんってば、全くどんぴしゃのタイミングで逝《い》ってくれたよな。

貴子は溜《た》め息《いき》をつきつつ、裁縫箱を引き寄せて、後回しにしていたハチマキを渋々縫い始めた。どこのクラスも、お揃《そろ》いのハチマキやTシャツを作っている。貴子のクラスでは、ハチマキを統一することにした。誰の趣味で選んだのか、派手な蛍光色のどピンクだ。そこにクラス名と名前を縫い込むのである。

三十七組。貴子の学校は、単純に学年とクラスの番号を並べた二桁《けた》の数字がクラス名になるのだ。つまり三年七組である。貴子の出席番号は十四番。

そして融は三十番。

まさか三年になって同じクラスになるとは。九クラスもあるから、まず同じクラスになることはあるまいとたかをくくっていたのだ。

ところが、あの朝。外に張り出されたクラス名簿を見た時、自分の名前を見つけたかと思ったら、続けてパッと西脇融の名前が目に飛び込んできた。あれを見てどんなにびっくりしたことか。そして貴子がふと横を見ると、彼女と同じようにあぜんとした顔で名簿を見上げている少年の顔を人だかりの中に見つけたのだった。

西脇融は信じられない、という表情で貴子の名前を見ていた。まじかよ、と唇が動くのが見えた。

それはこっちの台詞《せりふ》だよ、と貴子は心の中で毒づいた。

西脇融と同じクラスになったよ、と言った時、あらそう、としか母は返事しなかった。それ以降、お互いに一度も彼の名前を口にしたことはない。

やっぱりまずいよね。仲良くなんかなれないよね。

クラス名簿をめくって、同じクラスの中にある二人の名前を見るたび、貴子はいつも繰り返し心の中で呟《つぶや》く。

それ以来、貴子はクラスの中でいつもそっと融を盗み見ていた。誰も気付かないようにそっと。見ていないふり、気にかけていないふり、全く意識していないふり。少なくとも、貴子はそうしているつもりだった。融は貴子のことを無視しているように見えたが、それでも刺すような視線を感じることがあった。

時々馬鹿《ばか》らしくなり、融に話しかけてみようと思う時もあった。

あたしたちがいがみあう必要はどこにもない。あたしたちは、それぞれの母親の手前、相手を憎んでいるふりをしなければならないという義務を感じているだけなのだ。なぜだろう。どうしてこんな演技をし続けているんだろう。これしか手段はなかったんだろうか。お母さんは、本当にあたしが融を憎むことを望んでいるのだろうか。

ハチマキの布地は、つるつるして針を通しにくかった。

自由歩行、誰と歩こうかな。

ゆっくりとハチマキを縫いながら、貴子は明日のことを考える。メグは走るって言ってるしなあ。体力残ってれば一緒に走ってもいいけど、マジで走られると困るなあ。

卒業生も貴子たちも、ただ「ピクニック」と呼んでいるが、正式には北高鍛練歩行祭という大仰な名前が付いている。名前は大仰だが内容は単純で、全校生徒が丸一昼夜かけてえんえん歩くだけの行事である。早朝学校を出発し、一年一組から順番に二列歩行で歩き始める。深夜、仮眠所に到着するまでの約六十キロは団体歩行。休憩を取りつつ、ひたすら歩く。そして、二時間ばかり仮眠を取ったあとは自由歩行だ。ここから先はマラソンである。全校生徒は千二百名近くいるのだが、走った人数の数だけ順位がつく。運動部の生徒にとっては、ここでベストテン入りするのは名誉なことで、上位の方では毎年熾烈《しれつ》な争いが繰り広げられている。大多数の生徒にとっては、脱落せずに踏破することが目的だ。あまりにも遅いと後ろから救護用のバスが追ってきて、どんどん拾い上げられていってしまう。このバスに乗せられることは、生徒たちにとって何よりも耐えがたい屈辱である。

この行事の由来はよく分からないが、五十年以上続いている行事なのは確かである。まことしやかに伝えられる噂《うわさ》としては、かつては関西方面に修学旅行に行っていたのだが、現地の高校生と乱闘騒ぎを起こして修学旅行ができなくなり、代わりにこの行事になったというものだ。修学旅行というのは、一度なくなると二度とできないという不文律があるというのである。だが、こういう歩行会というのは探してみると全国あちこちの高校にあるので、その説は怪しいようだ。制服がなくなるのが流行《はや》った時期もあったし、これも単なる流行だったんじゃないか、一度始めたら自分ばかりこんな目に遭うのは嫌だとみんなが後輩にも強要するので、そのうちやめられなくなったんじゃないか、というのが大方の推理だった。

コースには三種類あって、毎年変わる。三年間で全部のコースを体験できるわけだ。中には早朝バスで山奥まで運ばれ、そこに放り出されて帰ってくるというものもある。今年は海辺を歩く、比較的高低差の少ないコースだった。

この行事のために、夏休みが終わってから二か月間、体育の授業は全《すべ》てマラソンになる。どうやら運動不足になりがちなこの時期に、受験を乗り切る体力を付けるという目的もあるらしい。

ただただつらい行事なのだが、それだけに感慨深いことも確かで、卒業生たちは皆この行事を懐《なつ》かしむ。一、二年の時にはその気持ちがよく分からなかったのだが、貴子はこうして最後の「ピクニック」を迎える今、なんとなくその気持ちが分かるような気がした。

ただ歩くだけ。ひたすら歩くだけだ。景勝地や観光地を歩くわけじゃないし、途中に面白いものがあるわけでもない。

でも、「ピクニック」は特別だよね、美夜《みや》？

貴子はハチマキを縫いながら心の中で話しかける。

美夜はこう言ってた。

みんなで、夜、歩く。それだけのことが、なぜこんなに特別なんだろうね。

そうだね。ほんとだね。

明日は最後の「ピクニック」。どうしてピクニックの前の晩は、こんなにわくわくどきどきして、そしてちょっぴり憂鬱《ゆううつ》なんだろう。


予報によると、明日はとてもいい天気らしい。

そいつはよかった。高校最後の「ピクニック」だからな。

西脇融は歯を磨きながら腰を回してみる。ぐき、とどこかが鳴った。思わずいてて、と力をゆるめる。

自由歩行、走ろうかな。それとも、たらたら肇《はじめ》と歩こうか。

融はずっと迷っていた。一年、二年と三十位以内をキープしていたので、今年もその辺りに入りたいという気持ちもあったが、肇やテニス部の連中は、ゆっくり喋《しゃべ》りたいと言う。高校行事最後でもあるし、みんなと喋りながらゴールしたいという気持ちも否定できなかった。

明後日の朝、起きて決めればいいや。

融は豪快にうがいをすると、顔を洗って自分の部屋に戻る。

早いな。あっという間だったな。

「ピクニック」が終わればもう、入試だ。

それは融にとって最後通牒《つうちょう》のようなものだった。中学卒業の春に父親を亡《な》くしてからというもの、融は早く大人になりたいとずっと願い続けていた。早く大学に行き、早く就職し、早く母親を楽にさせたいと思っていた。ようやく最初の関門を突破できる時が近付いているのだ。ここまでの日々は、楽しいけれどもうんざりするようなぬるま湯の日々だった。

母親が、縫ったハチマキにアイロンを掛けてもってきてくれた。

蛍光ピンクのハチマキの「37」の数字を見る。

融は、自分が甲田貴子と同じクラスになったことを母親に話さなかった。今でもそのことを口にしたことはない。

クラスの名簿を見て母親も気付いているはずだが、二人ともこの件に関して口に出したことはなかった。もっとも、赤の他人について何を話し合う必要があるだろう？

甲田貴子を自分のきょうだいだと考えたことは一度もなかった。同じ学年で同じ高校に進学したと知った時も、不思議な感じがしただけだ。まさか三年で同じクラスになるとは思わなかったけれども。

融は荷物を詰める手を休め、窓を開けた。夜の冷たい空気がゆっくり流れこんでくる。

頭を出して空を見ると、漆黒の静かな星空が広がっていた。

貴子と自分の関係を知る者は誰もいない。貴子の方も、誰かに話している気配はなかった。彼は極力無視する態度を取っていたが、この居心地の悪い状態がいつもどこかで気に掛かっていた。二人は口裏を合わせて黙っている共犯者のようだった。

おかしなことに、そんな自分と貴子の間に噂が立っていた。そのことを友人から聞かされた時には仰天したものだ。

おまえと甲田って、出来てるんだって？

面食らうのと同時に、みんながよく見ていることに驚いたものだ。自分と貴子の間に、口に出さなくとも奇妙な緊張感のようなものがあることに気付いている。その理由に思い当たる人間はいないだろうし、説明することもないだろうが。

もう三年近く経《た》つんだな。

融はあの雨の朝を思い出す。初めて貴子と顔を合わせた日の朝を。

貴子は不思議そうな顔をして自分を見ていた。初めて見る珍しい動物みたいに。その無邪気とも言えるあどけない表情に、どうしようもない苛立《いらだ》ちを覚えたことを昨日のことのように思い出す。

貴子はいつも落ち着いている。教室でも、廊下でも。クラス替えの朝も、びっくりしたような顔はしていたが、むしろ面白がるような表情だったのが印象に残っていた。自分の苛立ちが彼女に伝わらないのが融には歯がゆかった。融が世界に自分の居場所を確保しようとあくせくしているのに、貴子はいつも自然にその場にいるというのが目障《めざわ》りだった。

天気がいいなら、今年も星が見えるだろうか。

昨年は山を歩くコースだったのだが、降るような星を見たのが強く印象に残っていた。周囲に何もなく真っ暗だったせいもあるのだろう。

本当に、粉砂糖をまぶしたような満天の星だった。地面に寝転がって空を見ていると、星空の奥に自分の身体《からだ》が落ちていくような身震いを感じた。

ほてった足を道路に投げ出して、空を見上げたことを懐かしく思い出す。今年もあんな空が見られたらいいのに。

でも、今年は平野部のコースだから、明るくて見えないかもしれないな。

融はゆっくりと窓を閉めた。すっかり部屋の中が冷えこんでいる。

みんなで、夜、歩く。それだけのことがどうしてこんなに特別なんだろう。

そう考えて、ふと、それが自分ではなく誰か他の人間の台詞だったことを思い出す。

誰だったろう？　男かな、女かな。

融はぼんやりと考えた。やがて誰の台詞か考えるのに疲れ、その台詞の意味の方に意識が移っていった。

そう。ただみんなで歩いているだけなのに、この夜は特別だ。

不思議と、つらい記憶は残っていない。つらくないはずはない。足がマメだらけになり、最後の方は声も出ないほどなのに、毎年次の「ピクニック」の前日にはすっかりそんなことは忘れてしまっている。記憶に残っているのは、みんなで何かと興奮し、高揚した気分で騒ぎまくって歩いていた夜のことばかり。粉砂糖をまぶしたような星空や、途中でＯＢや生徒の家族が配ってくれた甘いキャラメルのことばかり。朝の畔《あぜ》道《みち》で、ゆっくりと空に昇ってくる大きな太陽のことばかり――

どの場面も、既に遠い記憶のようにセピア色だった。うんざりするだけに思えたこの歳月も、その場面を巻き戻している時だけは愛《いと》おしく思えた。

予報によると、明日は一日晴天が望めそうだ。

私はじっと音のない星空を見上げていた。

明日はとうとう高校生活最後の「ピクニック」。

私はそののどかな響きが気に入っていた。およそ実態はその響きに似つかわしくないハードなものなのだが、それを〝ピクニック〟という無邪気な言葉で形容してしまうところが愉快だった。

私はそれをとても楽しみにしていた。みんなで共有する、その特別な長い一日を。他愛もなく交わされる会話、夜中、相手の顔も見えない闇《やみ》の中で打ち明けられる秘密の話。いつもと同じただの夜が、明日は永遠の夜になる。

私はあの二人と話すことも楽しみにしていた。

甲田貴子と西脇融。

この二人が異母きょうだいであることを知っているのは恐らく私だけだろう。私がそのことを知ったのは、ある偶然がきっかけだった。私は、別にその事実を誰かに教えようとか、みんなにバラそうなどと考えたことはなかった。なぜか私はそのことを知っているだけでひどく満足だった。同じクラスになり、互いに知らん振りをしている二人を眺めているだけで心が和むものを感じるのは不思議だった。

けれども私は、二人を見ているうちにある一つの計画を思い付いた。とても個人的な、秘密の計画を。

私は今回の「ピクニック」でそれを実行してみようと考えている。ささやかな計画、ささやかな私の野望を。

ゆっくりと星空を見上げる。この空は明日に繋《つな》がっていて、あと数時間もすればみんながこの空に向かって歩き出す。

みんなで夜歩く。たったそれだけのことが、どうしてあんなに特別のことなんだろう。

今はただ丁寧に一人で準備をしよう。学園生活、そして人生におけるつかのまの「ピクニック」のために。

国境の南

久しぶりに、その駅に降りてみた。

学生時代にはよく降りた駅だ。うちの大学の学生はこの沿線に住んでいる者が当時から多かった。特に地方出身の学生が多かったように思う。この沿線の駅前は、地方の県庁所在地になんとなく似ている。駅ビルの中には衣類や雑貨、老舗《しにせ》の全国チェーンの飲食店が並び、駅前には交通標語の書かれた意味不明のオブジェの建った狭いロータリーがあって、排気ガスに汚れたツツジの植え込みが覗《のぞ》いている。ロータリーを囲むドーナッツ屋やアイスクリーム屋の前にはバス停がある。ロータリーにはせわしなくバスが出入りし、一列に並んでいた人々を飲み込んではまたどこかへ去ってゆく。バス停の前では、駅前の雑居ビルの上の階に入っているサラ金会社の若い社員が人工的な笑顔でティッシュを配る。ロータリーに面した間口の狭い和菓子屋の前で老婦人が二人立ち話をし、古い書店の店頭の雑誌売り場には、帰社途中のサラリーマンや学校帰りの高校生が鈴なりになって立ち読みをしている。

線路沿いにはパブと飲食店の並んだ、どことなくくすんだ通りがある。その通りと平行した、線路と反対側の通りの銀行の角を曲がると、商店街の名前を書いた大きな看板をくぐるようにして、ごみごみしたメインストリートが続いている。この通りは、午後四時半から六時半くらいがよく似合う。八百屋の呼び込みの声、店頭で焼き鳥を焼く匂《にお》い。子供が自転車で走り、中学生が買い食いをしながらそぞろ歩き、おかずを買いに来た主婦が、ふと目についた新しいサンダルを試している。

履き物屋と酒屋を通り過ぎ、商店街が切れたところで小さな四つ角に出る。角にあるのは煙草《たばこ》屋と不動産屋。そして、煙草屋の斜め前に喫茶店がある。


それはかつて入ったことのある、記憶の中の喫茶店ではない。

無理もない。あの事件のあと、店は売られ、店舗には改装が施されたはずだ。むしろ現在も喫茶店という業種を変えずに営業していることの方がよほど不思議である。近所の住人や現在の主《あるじ》、今入っている客たちはどう思っているのだろう。

店の前に出ている、コーヒー会社の名前入りの看板も、かつての記憶の中の店名ではない。外壁も淡い水色に塗り替えられ、明るくカジュアルな雰囲気になり、イメージは全く異なっている。

扉を押して中に入ってみる。

広さは変わっていない。カウンターの位置も、レジの位置も同じだ。

かつてあのカウンターの中では実直そうな初老の主人が黙々とコーヒーを淹《い》れていた。いつもブルーのシャツに灰色のベストを着ていたから、あれが彼の制服だったのだろう。瞼《まぶた》の下が膨らみ、こめかみにはわずかにしみが浮かんでいた。白髪が大半を占める髪をきれいに撫《な》で付け、襟足もいつもさっぱりと剃《そ》ってあり、てきぱきした手つきとあいまって、見ていると安心感を覚える男だった。寡黙《かもく》な男で、声を聞いた記憶はない。

そして、レジの内側にはいつも彼女が立っていた。えんじ色の、デニム地のエプロンを着けた彼女が。

今、店を仕切っているのは三十代後半と思《おぼ》しき髭《ひげ》を生やしたひょろりとした男だ。コーヒーを運んでいるのは二十歳前後の若い男で、この世慣れぬ軽さは学生のバイトらしい。「いらっしゃいませ」とこちらに向けた顔は少年のようにあどけない。

ごつごつとした木のベンチに腰掛ける。テーブルと椅子《いす》は、どれも別々に買い集めたものらしく、よく見ると少しずつ違っていた。アーリー・アメリカン調とでも言うのか、店主のこだわりを感じさせる。そう言えば、床もフローリングになっている。

ガラスの灰皿には洋酒メーカーのロゴが入っている。灰皿にメーカーの貰《もら》い物《もの》とは、調度品で予算が切れたのかなと意地悪な気分になるが、ふと他のテーブルを見ると、それぞれが違うメーカーで違う形の灰皿だ。これはこれで主人のコレクションなのだろう。

灰皿を引き寄せ、煙草に火を点《つ》ける。

昔友人とここに来た時も、大体この場所に座っていたっけ。

友人のアパートは、線路を越えた反対側にあった。

「かいわ荘」という名前のアパートで、いつも行く度に「かいわ」というのはどういう意味なのだろうと考えたものだ。

玄関の引き戸を開けると、曇りガラスの入った古い木のドアが廊下の両側に並んでいて、昼間でも暗かった。

友人の部屋は一階の隅で、万年床をぐるりと囲んで大量の本が積み上げられている。鴨居《かもい》に渡した物干し紐《ひも》にはいつもタオルとシャツが掛けてあり、やはり昼間から暗かった。

そんな部屋でも夜は酒盛りの場と化したが、昼間は扉を開けると友人が立ち上がって、二人で外に出るのがいつものパターンだった。

ぺたぺたとサンダル履きのだらしない音を立てて、無言で踏切の方向に歩き出しながら、いつも「かいわ」というのは大家の名前だろうかと考えた。珍しい名字だ。どういう字を当てるのだろう。海和、貝輪、鹿岩、飼羽。あらゆる漢字の組合わせを思い浮かべた。

ある日とうとう、なぜ「かいわ荘」というのか、と友人に尋ねたら、カンバセーションの「会話」を指すのだとあっさり答えた。住人たちが仲良く暮らすことを望んでいた大家の命名だそうである。

あの頃の二人には、踏切を越え、あの店に向かうのが一種の儀式だった。


ぼんやりと辺りを見回す。

かつてはこういう内装ではなかった。あの頃どこにでも見かけた喫茶店だった。入口のガラスには濃い茶色が入っていて、白い文字で店の名前が書かれている。大きなガラスの窓の外には観葉植物の鉢植えが並んでいる。入ったところに白いカラーボックスが置いてあり、その上にはピンク電話と信販会社のロゴの入ったメモ用紙とボールペンが並べて置いてある。カラーボックスの中には、漫画週刊誌と新聞。すぐにごちゃごちゃになるのでウエイトレスは通り掛かる度にこまめに直していた。カウンターの上にはステンレスのトレイが置いてあり、規格品のコップが伏せて重ねられていた。三角形の注ぎ口を持った銀色の水差しは、ぴかぴかに磨き上げられていた。濃いブルーのダスターが、きちんと畳んで水差しの下に敷いてある。

カウンターとテーブルは白い合板でお揃《そろ》いだった。カウンターのスツールとソファは黒の合皮。テーブルの上には、丸いステンレスの灰皿が置いてあった。天井からはテーブルごとにペンダント型の三角形の照明がつり下げてあり、テーブルの上を鈍く照らしていた。床は小豆色のリノリウム貼《ば》りだったと思うが、長年の汚れが黒くしみついていて、元の色はよく分からなかった。音楽は流れていなかったが、恐らく常連客の希望だったのだろう、高校野球と相撲だけはラジオで低く流していたような気がする。レジの向こう側の壁に掛かっている四角い時計。風景写真の入ったカレンダー。当時喫茶店という空間には、明らかに日常と非日常とのエアポケットのようなものがあった。かすかに暗く、自虐《じぎやく》めいた後ろめたさのようなものが。

さわやかな青年が水を運んでくる。小さな、握り締めたらすぐに割れてしまいそうなグラスだ。一つだけ氷が浮かんでいる。

じっとグラスを見つめる。グラスの中の氷を見つめる。

青年のとまどった瞳《ひとみ》に気付き、慌《あわ》ててブレンドを注文する。

「ここ、昔も喫茶店でしたよね？」

そうさりげなく尋ねると青年は首をかしげた。

「え、そうなんですか？　この店の前はＤＰＥショップだったと聞いてますけど」

それで合点《がてん》がいった。店は度々変わっていたのだ。いくつかの業種を経て、再び喫茶店に戻ったということなのだ。店は変わっても、水道やガスの配管の位置がそうそう変えられるわけではない。飲食店にした場合、やはり水場が同じ場所になってしまうので、自然とカウンターやテーブルの位置も決まってきてしまうのだろう。

「ブレンドです」

青年がカウンターの中に声を掛けるのを聞きながら、過ぎ去った長い歳月のことを思う。この店がオープンした頃には、もうあの事件の記憶も埋もれてしまっていたに違いない。

彼女の名前が望月加代子だったというのを、新聞記事を見るまで知らなかった。

そもそもその新聞記事でさえ、たまたま郷里に宅配便を送る時に隙間《すきま》に新聞を詰めようとしていて、新聞を丸めた時に目に留まったのだった。記事の見出しに興味を覚えたのと、記事の中の店の名前に見覚えがあったからだった。これは、学生時代に何度も行ったあの店ではないだろうか？　これは、あの店で見掛けた彼女のことではないか？　新聞の日付は、もう一年以上も前だった。そして、その記事を見てから今日までに更に長い月日が経《た》っている。とっくに人生の折り返し地点を過ぎ、残り時間も見え始めた今ごろになって、どうしてあの記事を思い出したのかはよく分からない。

望月加代子。こうして名前を呟《つぶや》いてみても、記憶の中の彼女とはなかなか一致しない。

思い出すのはえんじのエプロンを着けて、きちんと両手を前に揃えてレジのところに立っていた姿だ。

小柄な、細い人だった。当時、年齢は三十代半ばくらいだったのではないだろうか。しっかり者の姉、という言葉がぴったりする女性だった。色白の肌は薄く、腕には青い静脈が透けて見えた。長い髪をいつも後ろで一つに束ねていた。白のブラウスに黒のタイトスカート。かかとの低いサンダル。化粧っけはあまりなく、いつも薄くピンクの口紅を引いていただけだったが、それが似合っていた。目鼻立ちははっきりしていて、かなり美人の部類だったと思う。目はきらきらとしていて、口元はいつも微笑《ほほえ》んでいた。

もともと接客が苦にならない性格だったのだろう。いつもてきぱきしていてにこやかで、何事にも流されない強さが感じられた。カウンターに陣取る常連の客とはべたべたしない程度に親しく話をしていたが、他のお客の動きにも常に気を配っていた。だからテーブルに一人でいる客も安心して座っていられた。

アパートを訪ねていく度にここへ連れてきてくれた友人は、たぶん彼女に好意を持っていたのではないかと思う。美人でしっかり者の姉の姿を見にいくのが、ひそかな楽しみだったのだろう。当時の、やたら斜に構えてこむずかしいことを言いたがる、頭でっかちの学生に彼女のような存在は眩《まぶ》しかった。

彼女のような人は毎朝当たり前にきちんと起き、さっと家の前を掃除し、道行く人には挨拶《あいさつ》し、毎月定額の郵便貯金をしているのだろう。ボタンが取れれば直し、自転車のブレーキがうるさくなれば油を差してもらい、商店街のスタンプを集めてささやかな景品を手に入れるのだろう。末の弟が風邪を引けばおかゆを作ってやり、母親の薬を近所の病院に貰いにいくのも厭《いと》わない。そういう真っ当に暮らしている人間を見ることは、それが綺麗《きれい》な女性であれば特に、なんとなくホッとさせられるものがある。

ひょっとして親子なのかなあ、と友人が呟いたことがあった。

カウンターの中の主人とやりとりする彼女の姿を見て、確かにそこには家族のような気安さを感じる時があったのだ。

もしかすると、出戻りかなんかで、ここで働いているのかもね。

友人は想像を逞《たくま》しくしていたが、彼女の年齢から言って、それもあながち想像とは言い切れなかった。でも、そのイメージは悪くなかった。勝手な言い分だが、そういう昔のホームドラマのような設定が、彼女のイメージにぴったりのような気がしたのである。

そう、彼女にはそんな印象があった。前向きで、真っ当で、ある種の汚《けが》れなさを感じさせる女性であるのだが、それがかつて何か大きな不幸に遭遇しそれを乗り越えたことによって得たものなのではないかと思わせる印象である。彼女があまりにも真っ当に生きているがゆえに、それを試すかのように、災厄を引き寄せてしまうのではないかというおかしな妄想を抱いていたのを覚えている。

大学は？　こちらお友達？

コーヒーを運んでくる時、彼女はほんの一言声を掛ける。余計な話はしない。友人の方も、自主休講、とか、同じクラス、とか言葉少なに返事をするだけだった。彼はそれでじゅうぶん満足していたし、それ以上突っ込んで話をすることを望んでいないことを彼女の方でも分かっていたのだろう。そう、しっかり者の姉があんまり近くにいては気詰まりだ。姉はいつも通り働いていてくれればいい。時々こちらを見て、不肖の弟のことを気にかけてくれていることを示してくれさえすればいいのである。

彼女の声は、見た目の印象とは裏腹に、低くてはっきりしていた。中身は意外と男性的なのかもしれないと思った。

香り高いコーヒーが運ばれてくる。ぼってりした大きなカップは持ちやすかった。喫茶店のコーヒーカップは、意外と持ちにくいものが多い。

濃いコーヒーを楽しみながら、ちらりと氷の溶けかけているグラスの中を見る。

彼女は毎日何を考えていたのだろう。モーニングセットをあてにする客のために朝七時には店を開け、常連客の相手をし、ランチを運び、夜八時半に店を閉める。彼女は何を思い浮かべながら水差しを手にしていたのだろう。

常連客は中高年の男性が多かった。近所の商店主や、もう勤めをリタイアした男がほとんどで、いつものどかに話をしていた。こういう小さな喫茶店は常連客で固まってしまい、なかなかフリーの客が入りにくいものだが、彼等はその辺りのことを心得ていて、やってくる時間もさりげなくずらしていたようだし、常連だけでカウンターを占領することを避けていたようだ。

時間帯にもよるのだろうが、みんなよくコーヒー一杯で粘ったものだ。あれで商売が成り立っていたのだから、幸福な時代だったのかもしれない。

カウンターに座った常連たちが愉快そうに声を立てて笑い、彼女がそれに答える。

カウンターの中では主人が淡々と洗い物をしている。

カヨちゃんもかわいそうだよな、朝から晩までこんな狭い店に縛りつけられちゃってよ。どこかに行こうって気はないのかい？　あんたが旅行に行ったたって話はこれまで聞いたことがないな。でも、遠くに行こうったってお盆休みがたったの三日じゃなあ。マスター、慰安旅行でもしてやんなよ。

でっぷり太った男が軽口を叩《たた》く。

あら、あたし、お金貯《た》めてるのよ。いつか旅行しようと思って。

彼女は目を大きく見開き、微笑みながら答える。

へえ、どこに行くんだい？

他のお客が尋ねる。

あたしね、南の国へ行くの。遠い南の国。

カヨちゃんが南の国ねえ。なんだかあんまり似合わねえな。

お客が笑いさざめく。


南の国。

彼女の口から出たその言葉は、確かになんとなく違和感があった。働き者でじっとしていることが嫌いそうな彼女が、常夏の浜辺で寛《くつろ》いでいるところなど想像できなかったのである。が、その言葉に違和感を感じたのは、それだけではないと気付いた。

南の国。

たいていの人間は「南の島」と言うのではないか。なぜ「南の国」なのだろう、と思った。そして、その疑問は長い間心の中に引っ掛かっていたので、ある日、友人がトイレに立った時尋ねてみたことがある。

南の国ってどこのことなんですか？

それはあまりにも唐突な質問だったろう。彼女はきょとんとした顔をしていた。

あ、いえ、すみません。前に、遠い南の国に旅行に行きたいって言ってましたよね。

なんとなく気になってたんです。どうして南の島じゃなくて南の国なんだろうって。

しどろもどろな説明だったが、それで彼女は「ああ」と納得した表情になった。

銀色のお盆を胸に抱え、彼女は「あれね」と遠いところを見た。

ほんの少しの間があってから、彼女は口を開いた。

あたしは南の島に行きたいわけじゃないの。海辺に寝転がりたいとは思わない。アメリカに行って、ひたすら南へ南へとどこまでも下って行きたいだけなんだ。

それはぽろりと出た本音のように思えた。

彼女はこちらを見てニッと笑った。

それに、アメリカ映画だと、たいてい犯罪者は最後にメキシコに逃げ込むでしょ？

彼女はそう言うと背を向けて、レジに戻った。

コーヒーのお代わりを頼む頃には、グラスの中の氷はすっかり溶けていた。おいしいが、かなり濃厚なブレンドだった。思わずグラスを手に取り、口の中を湿す。

そう言えば、かつてあの店によく来ていた若い男がいた。

常連客には加わらず、いつもレジの近くのテーブル席に一人で座った。

近所に住んでる一人暮らしのサラリーマンだぜ、と友人が囁《ささや》いた。あいつ、彼女が目当てなんだ。

実直そうで、真面目《まじめ》そうな男だった。大柄な身体《からだ》を折り曲げてソファに腰を降ろし、いつもアメリカンを注文する。きちんと髪を七三に分け、汗っかきなのかしじゅうハンカチを手にしていた。そのハンカチはくしゃくしゃで、ズボンの裾《すそ》からは一年中冬物の靴下が覗《のぞ》いていた。いかにも一人暮らしの独身サラリーマンという感じだったが、なんとなく育ちはよさそうで、感じは悪くなかった。

もちろん、そんな彼には彼女に積極的に話しかけることなどできやしない。できるのは、がぶがぶと何度も水を飲んで、彼女が水を注ぎに来てくれるのを待つことだけだった。

他の常連客もそのことに気付いていたが、決してからかったりはしなかった。彼等の方でも、陰ながら応援していた節がある。

あの男との間には何もなかったのだろうか、と考えていることに気付いて苦笑する。そんな昔の、他人の仲など今更気にしてどうするのだ。

それに、あのサラリーマンは彼女とろくに口をきくこともなく亡《な》くなったのだ。

最近あの男見ないな。

そう何気なく呟くと、あいつ死んだんだぜ、と友人が答えたので驚いた。

死んだ？　あんなにピンピンしてた男が？

友人は大きく頷《うなず》いた。

交通事故とか？

友人は首を振った。

違う。なんでも、急病だったらしい。確かに最近、顔色悪いなあって思ってたんだ。他の常連客も心配してたんだけどさ。このところ姿を見せないなって噂《うわさ》してたら、部屋で死んでるところをアパートの大家が見つけたんだって。

病気かあ。あんな丈夫そうな男だったのに、分からないもんだな。

そんな年寄りじみた感慨を覚えたものだ。

そう呟く友人も、その当時あまり調子がよくなかった。

おまえもあんまり顔色よくないぜ。

そう指摘すると、友人はぎょっとしたような顔になった。

そうかな。そんなことないよ。最近、卒論書いてるから忙しいだけだ。

打ち消すように水を飲み干した彼の手がかすかに震えていたような気がした。

二杯目のコーヒーを飲みながらぼんやりと考える。

そう言った彼も、一年と経《た》たずに亡くなった。大学を卒業し、就職して間もなくだった。あまりのあっけない唐突な死に、家族も友人たちもとまどっていた。本当に、人間の命など分からないものだ。いったいどこで人間の生死が分かれているのだろう。あの店でコーヒーを飲みながら、テーブルを挟んでいた二人を、どこで運命が分けたのだろう。

まめにテーブルを動き回り、せっせと空のコップに水を注いでいた加代子の姿が目に浮かぶ。絶やさぬ笑顔。お客のコップが空になっていないかどうかさりげなく店内を見回す。空のコップを見つけると、嬉《うれ》しそうな表情でサッと水差しを取り上げてスタスタと歩いて行く彼女。客の方でも、水がなくなってすぐに気付いてもらえるとなんとなく嬉しく感じるものだ。

まめなウエイトレス。長居をする客。喫茶店で見られる日常的な風景。

そのささやかなコミュニケーションが、運命を分けていたのだとは知らずに。

最初のきっかけは、商店街の経営者が相次いで亡くなったことだったという。

彼等は仲のいいメンバーで、長年に亘《わた》り親しくつきあっていた。彼等は揃《そろ》って体調を崩しており、それぞれの掛かりつけの医師には肝機能が著しく低下していると言われたそうである。なんだか変だ、なんだか具合が悪い、とみんなで不思議がっていたが、やがて数か月のうちに続けて亡くなったので、家族が不審に思ったのである。

原因は特定できなかったが、皆死ぬ直前の症状がよく似ていたので、同じものが原因ではないかと思われた。彼等のホームドクターを務めていた医師は薬物中毒を疑い、試しに彼等の毛髪を集めて知り合いの大学病院の病理学教室に送ったのである。

その結果、意外なことにどの毛髪にも大量の砒素《ひそ》が見つかった。しかもそれは、かなりの年月をかけて体内に蓄積されたものだということが判明した。

しかし、どこでそんなに大量の砒素を摂取したのかが分からない。

初めは家庭内のトラブルが疑われたが、砒素の成分から、彼等が同じ砒素を摂取していたことは明らかであり、五人もの人間が別々の家庭で同じ砒素を摂取していたとは考えられず、家庭環境も良好であったことから、別の原因を考えなければならなくなった。

五人がよく利用した場所が徹底的に洗われた。

町内での彼等は言わば名士のような立場であって、よく出入りする店は多かった。

寿司《すし》屋に蕎麦《そば》屋、小料理屋に中華料理店。

最後にリストに挙がってきたのがその喫茶店だった。

そして、店の流しや水道の周りを検査した結果、大量の砒素が検出されたのである。

彼女はいつもピカピカに水差しを磨いていた。にこやかな笑みを浮かべ、手際《てぎわ》のいい慣れた手つきで。

彼女は何を考えていたのだろう。

空いているコップを見つけ、水差しを持ち上げる瞬間。おひやをひんぱんに頼む客に笑顔で答える瞬間。

なぜ彼女はあんなものを水差しにいつも溶かしこんでいたのだろうか。

検査の結果からは、相当長い年月の間、店内で砒素が使われていたことが判明した。特に水差しとコップと流しの周りが顕著で、コーヒーカップやサイフォン、やかん等には全く反応がなかった。つまり、砒素が投入されたのは水差しのみであったと見られている。それも、一回に投入されていたのはたいした量ではなく、例えば週に一度この喫茶店でコップの水を飲んだ程度では、すぐに体外に排出されてしまうほどの量だったらしい。常連客であった彼等は、長期間に亘ってこの砒素入りの水を飲んだあげくの中毒症状だったのだ。

あのサラリーマンや友人が亡くなったのも、毎日のようにあの店に通い、いったん行けば長時間いてよく水をお代わりしていたから、体内に砒素の蓄積するのが早かったのだろう。不摂生な生活も死期を早めたのかもしれない。

コーヒー一杯で水ばかりお代わりをするお客に業《ごう》を煮やしたんじゃないか、というブラックな冗談も交わされたようだが、それにしては彼女のあの愛情のこもった接客には納得がいかなかった。

望月加代子は、常連客が相次いで亡くなった時期から既に姿を消していた。

彼女は近くの2Kのアパートで一人暮らしをしていたが、警察がアパートに踏み込んだ時には、たいしたものは残っていなかったそうだ。

ただ、壁に大きな、外国の古い観光ポスターが貼《は》ってあったらしい。それがなんだか異様だった、と鍵《かぎ》を開けた大家は後に語ったそうである。

望月加代子という人間は、結局よく素性が分からなかったようだ。

東京都の出身だが、親戚《しんせき》はほとんどいなかった。加代子は一人っ子で、身体が弱い家系らしく、親にも兄弟がいなかったらしい。高校時代に相次いで両親を亡くし、都内の高校を卒業してからはずっと喫茶店やレストランなどでアルバイトをしながら生活していた。美人ではきはきしていてよく働いたので、どこでも重宝されていた。彼女は二、三年は必ず勤めあげ、辞める時にはいつも「外国で暮らすことにした」と言っていたらしい。堅実な生活ぶりで、全く遊んでいる様子もなかったので、「なるほど、彼女はずっとお金を貯めていたんだな」とどこの店でも思ったそうである。

だが、彼女が砒素を使ったのはその喫茶店に来てからだった。

それまでに彼女のいた店でも検査をしてみたらしいが、どこでも砒素は検出されていない。彼女がどこから砒素を手に入れたのかも判明していない。

その事件が発覚した時は大騒ぎになったらしい。それはそうだろう。近所の喫茶店で十年も毒を飲まされていたなんて、信じられない話である。他の飲食店にもさぞかし迷惑だったろう。警察の検査以来店は閉ざされ、主人は隠退した。やがてひっそりと店は売却された。ちなみに、主人と望月加代子は全くの赤の他人だったそうだ。

二杯目のコーヒーを飲み干し、煙草《たばこ》に火を点《つ》ける。

なぜ加代子はあの店にずっといたのだろう。何が気に入ったのだろう。うるさくない主人とうまが合ったのだろうか。

朝から晩まであの小さな店でウエイトレスをしながら、十年もの月日の間、彼女はせっせと水差しに規則正しく砒素を入れていた。そのことを想像すると不思議な気分になる。

それは暇潰《つぶ》しだったのだろうか。彼女にとってはゲームだったのだろうか。

喫茶店で出される水など、ほとんど手付かずで残されることが多い。客の口に入ることなく、流しに捨てられる水。彼女にとっては、一人でできるギャンブルのようなものだったのかもしれない。

あなた、ラッキーだったわね。

そう呟きながら水を捨てる彼女を想像してみる。誰にも飲まれることもなく捨てられていく水。それでも別に彼女は残念ではない。決して誰かを殺したいわけではないのだから。ただ、運のいい人と悪い人がいるだけなのだ。

あらあら、もう飲んじゃったの？

空になったコップを見つける度にかすかに浮かぶ笑み。それは苦笑のようなものだったのかもしれない。

これをたくさん飲むと身体によくないのよ。

しかし、優秀なウェイトレスである彼女には、空のコップを見逃すことは許されない。すぐに水を注ぎにいかなければならない。だが、サービスすればするほどその水はお客を死に近づけていく。

それはどんな気分だったろう。二律背反する心を、彼女は楽しんでいたのだろうか。確かに、それはすごくスリルのあることだったに違いない。彼女だけが知っているゲーム。今度の客はどれだけこの水を飲んでくれるだろうか。今日は、彼はどのくらいこの水を飲むのだろうか。

だからこそ、あんなに長くあの店でウエイトレスを続けていられたのかもしれない。長年に亘って徐々に健康を害してゆくお客の顔を眺めていることも、彼女にとっては毎日盆栽を観察しているようなものだったのかもしれない。

あのサラリーマンはどうだったのだろう？　少なくとも、彼女はあのサラリーマンに対して好意を持っているように見えた。彼は感じが良かったし、心から彼女のことを思っていた様子だった。

だが、彼女が嬉々《きき》として彼のコップに水を注いでいた様子が目に浮かぶ。

この人はこんなにもあたしのことが好きなのに、そのせいでこんなにもあたしに毒を注がれていく。この人はこんなにもあたしのことが好きなのに、そのせいでこんなにも早く死に近付いていく。

彼女は誰よりも、いや彼女だけがそのことを知っていたはずだ。なのに、彼女は決して手加減はしなかった。一定量の毒を加えた水差しから水を注ぎ続けたのだ。

気が付くと、コップの水を飲み干していた。

すかさず、あの青年が近付いてくる気配がする。見た目はあどけないが、躾《しつけ》は行き届いているらしい。すぐにコップを下げてくれた。また氷を入れてくれるつもりなのだろう。

氷の一つ入ったコップを置いてくれた彼に小さく会釈《えしやく》をする。

青年はニコッと小さく笑う。

その笑顔を見て、ふと、それが彼女の愛情表現だったのではないかと思った。

肉親に恵まれなかった彼女。いつも一人ぼっちだった彼女。しっかりしていた彼女は、一人でも生きていけた。一人には慣れていた。

逆に、彼女は自分の淋《さび》しさを表現する術《すべ》を知らなかったのかもしれないし、人に対して愛情を表現する方法を持たなかったのかもしれない。

彼女を思い出す時、淋しそうな印象は全くなかった。庇護者《ひごしや》を求め、誰かに支えてもらいたいという態度は全くなかった。しっかり者の姉。いつも通り働いていていてほしい姉。近くにいると息苦しくなる姉。そんな彼女は、一人で完結しているように見えた。

他者を必要としない彼女は、そんな自分に疑問を持っていたのではないだろうか。彼女は聡明《そうめい》で、てきぱきとなんでもこなした。お客やスタッフに愛された。恐らく、彼女は淋しいということを感じることができなかったのだろう。だが、それをおかしいとも感じていたのかもしれない。どんなふうに愛情を表現すればいいのか。誰に愛情を表現すればいいのか。自分を好いているらしいこのサラリーマンか。姉のように自分を慕っているこの大学生か。どんなふうに彼等と関わることが自分の愛情なのか。

そして、彼女は水差しに砒素を混ぜる。自分の愛情の表現として。自分から他人への働きかけとして。

自分が少なからぬ感情移入をしていることに気付き、思わず苦笑した。そんなものは勝手な妄想に過ぎない。いささか感傷的になりすぎているのだ。

事件以来、望月加代子は見つかっていない。一時期騒いだマスコミも、新たな事件にたちまち彼女を忘れていった。指名手配はなされているが、見つかったという噂《うわさ》はない。もう死んでいるんじゃないかとか、外国に逃げたのだという無責任な噂だけが流れていたようだ。

実際、加代子は働くことだけが趣味のようだった。休日もどこかに遊びに行くようなことをせず、家でぶらぶらしていたらしい。質素な暮らしをしていたし、相当貯金はあっただろうと誰もが口を揃えて言っていた。

アパートに残されていた観光ポスター。それは恐らく、メキシコのものだったのだろう。加代子がバスに乗って、南へ向かっているところを想像した。

ただひたすら、南へ。

彼女はバスの窓に頰杖《ほおづえ》をつき、いつも結わえていた髪の毛は風になびかれている。彼女は無表情だ。ただじっと車窓の風景を見つめている。


水を飲み終え、伸びをした。

顔を上げて外を見ると、日が落ちかかっていた。懐《なつ》かしさから随分長居をしてしまったものだ。

窓の外を行き交う人々。

ふと、加代子によく似た女が歩いて行くのを見たような気がした。

その瞬間、すっと心が冷たくなる。

加代子は今、どこにいるのだろう。

見知らぬ町の雑踏を歩く女。

誰も目を留めることのない、どこにでもいるような女。

顔だちは整っているけれど、そんなに目立つほどではない。小柄で、地味で、道行く人々にすぐに紛れこんでしまうような女。

そんな女はどのくらいいるだろう。そんな女の住む町は、この日本にどれくらいあるのだろう。人柄の良さを感じさせるきりっとした顔に、こざっぱりとした身なり。仕事の呑《の》み込みも早く、よく働く女を受け入れる町はいくらでもあるだろう。彼女は他人を求めない。一人で淋しいとは思わない。どこに行っても、当たり前の顔で暮らしていけるだろう。彼女はきちんとした常識のある、しっかりした女なのだから。

彼女は自分のしたことが罪になるのを知っていたけれど、やめるつもりはなかったし、つかまるつもりもなかった。そして、何よりも、悪いことをしたとは思っていなかったのではないだろうか。それは彼女の儀式であり、彼女の唯一《ゆいいつ》の方法なのだから。

自分が加代子ならどうするだろう。

十年も続けてきたゲームをやめることができるだろうか？

そんな疑問が心の中に湧《わ》いてきた。

それまでは二、三年ごとに仕事場を変えてきた彼女だ。それがなぜかは分からないが、一人でいることに慣れていた彼女は、逆に濃密な人間関係を築くことができなくなっていたのではないだろうか。何年も勤めていれば、情が移る。ましてや、性格も容姿も良かった彼女は、周囲から家族のような愛情を注がれただろう。それが次第に息苦しく感じられるようになったのではないだろうか。だから、「外国へいくから」と居場所を変えざるを得なかったのだ。

その彼女が十年以上もいることを選んだ店。それは、毒の魔力が彼女をあの店に結び付けていたとも言えるのではないか。むしろ、毒を使うならば店を変えた方が有利なのではないかという気もするが、彼女は継続して客に影響を与え続けることを選んだのだ。恐らく、それは彼女にある種の強い充足感を与えたのに違いない。

ならば、今、彼女は。

夕日が窓の外に当たっていた。

どこかで彼女は、また働いているのだ。駅の裏手の小さな喫茶店。常連のお客。実直な主人。今度はいい人が入ったねとお客も主人も満足して、コーヒーカップに口をつける。実際、彼女はよく働く。まめまめしく灰皿を換え、空になったコップには水を注ぐ。

彼女は今も、にこやかに水差しを磨いているのかもしれない。

伝票を手にとり、立ち上がる。夕陽が窓越しに目を射る。

恐ろしかった。

しかし、それは、今日もどこかで毒を注いでいる彼女に対してではなく、そんな彼女がどこかにいることに、奇妙な安らぎのようなものを覚えている自分に対してだった。

「どうもありがとうございました」

擦れ違いにさっきの青年が頭を下げ、コーヒーカップを片付けるために歩いていく。

ひょろりとした土人が頭を下げ、レジを打つ。

「もしかして、以前この近所にお住まいだったんですか？」

そう声を掛けられ、髭《ひげ》をたくわえてはいるが、結構若いなと思った。

さっき、あの青年と交わしていた会話を聞いていたのだろう。

「いえ。友人がこの近くに住んでいましてね。ずっと前にここにあった喫茶店によく連れてきてもらったんです」

「そうですか」

主人は小さく頷《うなず》き、会計をした。

「実は、私も昔はこの近所に住んでいましてね。父の具合が悪くなったんで、暫《しばら》く父の田舎に帰っていたんです。すっかりこの辺りも変わってしまって、二年前に戻ってきてここを買い取った時にはびっくりしましたよ」

では、この主人はあの事件を知らないのかもしれない。まだ若いようだし、そんな事件があった場所だからこそ安く物件を手に入れることができたのかもしれないな、とぼんやり考えていた。

「マスター、おしぼり運んできます」

青年がレジの脇《わき》の扉を開け、店の裏手に出るのが見えた。

開いた扉に、日に焼けた古いポスターが貼《は》ってある。青年はビニール袋に入ったおしぼりの束をうんしょと言いながら持ち上げていた。

「またいらしてください。父も喜ぶと思うんで」

背中にその声を聞き、外に出た。

店の主人の最後の言葉の意味を考えながら、駅までの道をぶらぶら歩いた。

父も喜ぶと思うんで。

あれはいったいどういう意味だったのか。

父の具合が悪くなったんで、暫く父の田舎に帰っていたんです。

はて、彼の父親がどうして関係あるのか——

ごみごみした商店街は、買い物をする人々でごった返していた。

くすんだロータリーと、のろのろと進むバスが見えてくる。

駅に入り、切符を買おうと自動販売機に手を伸ばす。

ふと、窓口のガラス越しに事務室を何気なく覗《のぞ》きこんだ瞬間、何かが頭の中で弾《はじ》けた。

そこにあるのは、どこかの温泉の大きな観光ポスターだった。


父も喜ぶと思うんで。


彼は、あの店のマスターの息子なのだ。具合を悪くしていたのは、あのマスターなのだ。店を閉め、郷里に帰ることを余儀なくされていたのはあの事件のせいだった。

そして、彼は再び父の店のあった場所を買い戻して喫茶店を始めた。

なぜだろう？　そんなにも喫茶店という商売に執着があったのか？

外国の観光ポスター。

さっき、あの青年が店の裏手のドアを開けた時、ドアの反対側に貼ってあったポスター。

メキシコ。南の国。バスに乗って南へ向かう加代子。

あれが、かつて加代子の部屋に貼ってあったポスターであることを確信した。

では、あの店は。あの事件は。

ふいに眩暈《めまい》を感じた。

暗い情熱は加代子だけのものだったのだろうか。客に対する愛情、長年注ぎ続けた愛情は、黙々とコーヒーを淹《い》れ、カウンターの中に立ち続ける主人のものでもあったのではないか。だからこそ二人の間には家族のような親密さが流れていたのではないか。

妄想だ。こんなのは妄想に過ぎない。

さっき飲んだ二杯の水。

息苦しさは気のせい。どことなく冷や汗を感じるのは気のせいなんだ。

自分にそう必死に言い聞かせながら、震える手で温まった切符を無理やり自動改札機に滑り込ませた。

オデュッセイア

ココロコが、自分が動けることに気付いたのは随分昔のことである。

動き始めてから長い時間が経《た》つ。今日もまた、小さな村や町で歓声が聞こえる。

まあ、ココロコが来たよ。あの伝説のココロコだね。ここに来るのは随分久しぶりじゃないか。あたしが聞いたのはばあさんの代の頃の話だよ。生きてるうちに見られるなんて。

ココロコが遠い地平線から現れるところは、巨大な船に見えるという人もいるし、バベルの塔に似ていると恐れる人もいる。心ない人々に投石を受けた時代もあった。

ココロコはいつもゆっくりと移動する。蛇の鱗のような底の固い突起を巧みに動かして、地面を少しずつ這《は》っていくのだ。

歳月を経たココロコには、悠然とした風格が備わっていた。階段状になった石の壁には蔦《つた》が這い、小さな鳥たちが巣を作っている。ココロコの上に降った雨は石の樋《とい》を通って貯水槽に集められるし、小さな葡萄《ぶどう》園はココロコの斜面に涼しげな影を作っている。

ココロコの上の方は居住地区だ。人々は、石造りの建物の窓べにスミレの鉢を飾ったり、美しい模様を織り込んだ布を垂らしたりして、行く先々の人々の目を楽しませる工夫をしている。

ココロコは、駆け寄ってくる子供たちや、わんわん吠《ほ》える犬たちを見る。ココロコの中庭には、さまざまな市《いち》が立つ。ココロコが通った町から仕入れてきた珍しい香辛料やお酒、異国の書物などはとても人気がある。地面に近いところに住んでいる男は、代々続く郵便業を営んでいる。何年も先に通りかかるであろう集落に住む者に宛《あ》てた、気の長い手紙を預かる。ココロコの壁に開いているポストに、集まってきた人々が手紙を入れる。祖父の代から預かっている手紙もあるという。

みんなが壁にサインやメッセージを書く。遠い町にいる母親が、かつて息子に宛てて書いた字を見つけて涙ぐむ男もいる。ココロコは集落の近くで、何日か停まっている。

今度はいつ動き出すのかしら。ねえ、この次はどこへ行くの？　若い娘たちが、ココロコのてっぺんにいる長老に尋ねる。

ココロコのてっぺんは、小さな星見櫓《やぐら》だ。長老はそこに住み、星を見ながらココロコと進路の相談をする。赤い旗を立てていれば、移動している印。白い旗は停まって滞在している印だ。

長老は、代々受け継がれている旅行日誌をめくり、次の行き先を考える。

ココロコや、少し油と塩を仕入れなければ。北西に向かってみよう。じいさんの代に行った塩田とオリーブ畑の集落があるはずだ。百年も経っているが、まだあの集落はあるのかな？

ココロコには何代にも亘《わた》って多くの家族が住んでいる。中庭の壁には、さまざまな土地で出会った芸術家たちが壁画を描いてくれたし、中には歴史的価値の高い立派なものもある。ココロコに歴史学者たちが暫《しばら》く滞在したことがある。地面の敷石に描かれた、ココロコの旅の歴史を詳しく調査するためだ。

いちばん最初はいつなんだね？　初めてココロコが動き出した時代は？

歴史学者は長老に尋ねる。

長老は、難しい質問だ、と呟《つぶや》く。

絵だけが残っておるのです。ココロコの一番古い箇所にです。それによると、最初は西の海のほとりの、城塞《じょうさい》都市だったらしい。

それを聞きながら、ココロコは考える。最初の記憶は、赤い土の、灌木《かんぼく》の茂みの続くだだっぴろいところにいたことだ。かつては、ココロコは大地にきちんと張り付き、自分に意識があるということすらも分からなかった。遠くからやってきた人々が自分の頭上で岩盤を削り、少しずつ掘り進んで小さな町を拵《こしら》えた。彼等はそこに住み、土を運び、木を植えた。人々は徐々に増えた。複数の一族が住み、町を少しずつ広げていったのだ。やがて一つの山が丸ごと町になった。町と山は不可分だった。人々は山《やま》裾《すそ》に強固な城壁を築き、統率のとれた自治体として成長した。

初めて動きだしたのはいつのことだったろう？

それは、ひどい戦乱の時代だった。さまざまな民族が血を流しあい、彼の町にも何度も血に飢えた輩《やから》が攻めてきた。町は必死に戦ったが、幾重《いくえ》にも囲まれて兵糧《ひょうろう》攻めにあった。老人や子供からどんどん死んでゆき、女たちの泣き声が毎日ココロコの中に響いた。男たちは不眠不休で勇敢に戦ったが、敵は尽きることがない。

ココロコは怒りを感じた。自分と共に生きてきた者たちが、日に日に無残に命を落としていくことに憤怒《ふんぬ》を覚えたのだ。

そう意識したとたん、激しい地鳴りと地響きが起きていた。ココロコを囲んでいた敵たちは地の底に飲み込まれ、残りは命からがら逃げ出した。ココロコは自分が立ち上がっていることに気付いた。

ココロコは自分が動けることを知った。ココロコは、静かな場所を求めて旅を始めた。中に残った人々は、再び自治体を再生させた。その時から、長い旅が始まったのだ。

ココロコの旅の歴史は、代々伝承として受け継がれてきた。ココロコとの共生を祝う祭が行われ、ココロコの葡萄園で出来たワインが振る舞われる。

広い草原を旅したこともある。遊牧民たちが馬に乗って手を振っていた。高原の王国に住む娘たちが、美しい衣装で正装して、山羊《やぎ》のミルクを運んできてくれたこともある。

ココロコは高い空に浮かぶ綿のような雲や、神々《こうごう》しい朝日に輝く山々の輪郭を思い出す。麦畑に吹く風を、人々が輪になって踊る収穫の祭を。

時には、ならず者の群れが移動中のココロコを襲うこともあった。ココロコの住民たちは猛然と戦い、ココロコはスピードを上げて容赦《ようしゃ》なくならず者を押し潰《つぶ》した。ココロコは二度と住民たちを殺させないと心に誓っていたのだ。底の突起の下で、無法者の骨が砕ける音を聞きながら、ココロコは毅然《きぜん》と平原を移動していく。

さまざまな人々がココロコに滞在した。王様にお姫様、商人に天文学者。天文学者と長老が星の運行についての意見を戦わせている脇《わき》で、気障《きざ》な吟遊詩人が高貴な女性に恋の歌を歌っているのは素敵な眺めだった。

暖かい地方を旅した時に、ココロコは危機に見舞われた。疫病《えきびょう》を持ったネズミが侵入したのだ。あっという間に疫病は蔓延《まんえん》し、多くの住民がばたばたと倒れた。長老は一計を案じた。町に火を放ち、ネズミを焼き払ったのだ。住民は、初めてココロコの外で集落を持って生活することを余儀なくされた。つらい苦難の時代だった。ココロコも暫く動くことができなくなった。失われた町を再生し、再び住民がココロコに戻れるまで数十年もかかった。

この苦難の時代は、ココロコの歴史の分岐点でもあった。この時代が終りを告げる頃には、旅するココロコの生活を捨て、定住を選ぶ者たちが現れたのである。

それぞれの道を選ぶ者にとって、つらい別れだった。ココロコの住民の半数近くが定住を選んだ。ココロコにとっては暫く淋《さび》しい旅が続いた。けれど、じきに新たな入植者たちがやってきた。ココロコは再び活気に溢《あふ》れ、新たな世代が生まれた。

新たな世代の者たちはフロンティアを望んだ。新しい場所へ、新しい世界へ。ココロコの進路は新大陸に向けられた。

それは、ある偶然がきっかけだった。遠浅の入り江のほとりで暫く滞在していた時のことである。地形の関係か、突然潮が満ちてきたのだ。ざんざんと飛沫《しぶき》を上げて満ちてきた潮に、ココロコは大騒ぎになった。が、気が付くとココロコは水に浮いていた。

ココロコは自分が泳げることを知ったのである。

慣れてみると、海は快適だった。地上では、斜面を進むには限界があるし、行ける場所がかなり限られていたからだ。それに、大きな集落や町が増えて、ココロコが通り抜けることが年々難しくなっていた。海ならば、どこまでも進むことができる。

漁師たちがココロコに魚を売りに来る。豪華客船に乗った客が、ココロコに笑って挨拶《あいさつ》をする。ココロコは青い海原を走り、新大陸を目指した。

新大陸で、ココロコにはまた新たな人々が加わった。世代交代は凄《すさ》まじいスピードで進んだ。

若者たちは、新しい技術が必要だと訴えた。ココロコも時代に応じて変わっていかなければならないのだ、と。ココロコにはプラスチックで覆《おお》われた太いケーブルが埋められ、星見櫓にはたくさんのアンテナが立てられた。美しい石造りの壁には鉄骨が埋められ、コンクリートで固められた。

ココロコの中では、常にけたたましい音楽やニュースが鳴り響き、鮮やかな電飾が生け垣や壁を色とりどりに輝かせていた。

ココロコは、広い新大陸をあっちへこっちへと動き回っていた。

もはやゆっくり旅する時代ではない。時代はスピードを求めているのだ、と住民たちはココロコに主張したのだ。

長老はもういなくなっており、住民たちは合議制でココロコの進路を決めていた。ココロコは底の固い突起を必死に動かし、夜も休む間もなく一晩中移動しなければならなかった。ココロコは彼等の要望に答えようと必死だった。

それでも若者たちはココロコでは新しいことが何もできないと、鉄とコンクリートでちぐはぐな景色になったココロコを捨て、外へ出ていった。

ココロコには老人たちが残った。

老人たちは、もうあまり動くことを望まなかった。ココロコは速度を落とし、静かな場所でひっそり過ごすようになった。ココロコも疲れを感じていた。

老人たちは、古い壁画を掃除したり、郵便屋の倉庫に残されていた、渡されることのなかった古い手紙を読んだりして暮らしていた。

ある日、近くを通り掛かった若い男女がココロコに目を留めた。その美しい、古い遺跡のような姿に心を惹《ひ》かれたのだ。二人は芸術家だった。ココロコの中を見て、新しい絵を描かせてくれないかと頼んだ。老人たちは承知した。二人は友人を連れてきて、使われていないケーブルや錆《さ》びた鉄骨、ひびの入ったコンクリートを撤去し、ココロコを元の姿に復元した。ココロコに、再び若い人たちや、古くて美しいものを愛する人々が集まり始めた。住み着く者も徐々に増えた。やがて、ココロコは芸術家たちのサロンとなった。

ココロコは暖かい海に出て、そこでゆらゆら浮かぶことにした。

陸地はすっかり狭くなり、ココロコが旅する場所も、静かに暮らす場所もなくなってきていたのだ。多くの人が、ココロコと海で暮らすことを選んだ。

それから多くの歳月が流れたある日、陸地のあちこちで閃光《せんこう》が走った。空を何か大きなものが激しく飛び交った。爆発はいつまでもやまなかった。奇妙な形をした雲が陸地のあちこちから立ちのぼるのが見えた。

大きな波が押し寄せてきて、ココロコは溺《おぼ》れないように一生懸命海に浮かんでいた。やがて陸地は静かになったが、嫌な匂《にお》いのする雨がたくさん降ってきた。その雨が降って暫くすると、ココロコに住んでいた人たちが次々と病気になって死んでいった。

最後の一人は、かつてずっとココロコを統率していた長老の子孫に当たる男だった。男は一人になってからも、昔から連綿と続いていた旅行日誌を書き続けていた。星見櫓に登り、空を見ながらココロコに話しかけ続けていたが、やがて彼もそこで死んだ。

ココロコには誰もいなくなった。世界は沈黙に包まれていた。

ココロコは暫く波間に揺られていたが、誰かがどこかにいるのではないかと思い、少し泳いでみた。しかし、どこに行っても、誰もいない。がらんとした世界が続いているばかりだ。

どこに行ったのだろう、あの子供たちは、尻尾《しっぽ》を振って追いかけてきた犬たち、前を横切った牛たち、鮮やかな衣装の娘たちは。ココロコは一人ぼっちだった。

ココロコは、かつて自分が住んでいた、初めて自分が立ち上がった場所へ行ってみることにした。特に理由はない。その場所を見てみたいと思っただけだ。

見覚えのある、乾いた赤土の大地が広がっていた。けれど、やはりここにも誰もいなかった。ココロコはゆっくりと大地の感触を確かめながら動き回っていた。

ココロコは、かつて自分が初めて立ち上がった場所を見つけた。ぽっかりと開いた窪《くぼ》みに、そっと身体《からだ》を入れてみた。これまでの長い旅の歳月が一瞬に思えた。

ココロコはそこに腰を下ろし、休むことにした。

ココロコはまどろんだ。かつて旅の途中で見た景色を夢に見ていた。葡萄園の風、輝く雲の峰、草原で手を振る民、手紙にキスする老婆《ろうば》。

それは長い長い夢だった。

まどろんでいるうちに、ココロコは自分が立ち上がれることも忘れ、意識があることも忘れた。

潮は満ち引きを繰り返し、太陽と月が空を巡った。

ある日、何かがココロコの意識を刺激した。それが何かは分からなかったが、ココロコはふと夢から覚めた。

なんだろう。どうして目が覚めたんだろう。

足音が聞こえた。誰かが乾いた大地を歩いてくるのだ。

夢ではない。誰かが大地を踏み締めてこちらへ歩いてくる。

ねえ見て、あれ、ココロコに似てるわ。

少女の凜《りん》とした声が聞こえた。

ココロコは伝説でしょ？　僕もおじいちゃんに聞いたことがあるけど。実際にあるなんて知らなかったよ。

訝《いぶか》しげな少年の声が聞こえる。

私の先祖は、大昔、ココロコで疫病が流行《はや》って町を焼き払った時に、ココロコを降りてしまったの。けれど、ココロコがどんなところだったか、ココロコでどんな生活を送っていたかは代々言い伝えられていたのよ。

もうあまり時間がないよ。船に戻らないと。ここは汚染されている。危ないよ。

少年はそわそわした口調で言った。

待って——どうしても確認してみたいの。あれはココロコに似ている。うちに伝えられている絵に形がそっくりよ。大きな船にも似ていて、バベルの塔にも似ているという。

足音が近付いてきた。

ほら、やっぱり！　これはココロコだわ。誰もいないけれど、きちんとみんなそのまま残っている。星見櫓《やぐら》だってあるわ！

軽やかな足音が星見櫓への階段を登っていくのを聞き、ココロコは懐《なつ》かしい気分になった。かつてはこんな足音がたくさん、いつも潮騒《しおさい》のように頭上に響いていたっけ。

少女は星見櫓に登り、無人の大地を見下ろした。

そう、ここで長老が星を見て、行き先を決めるの。かつてはみんなが行く先々で待っていたんだわ、旅する町を、ゆっくりと地平線を越えてやってくるココロコを。

そうだ、みんなが待っていた。ココロコは少女の声を聞きながら繰り返した。あの旗が目に浮かぶ。移動している時は赤い旗、停まっている時は白い旗。

ココロコ、聞こえる？　ここにはもう誰もいないの。みんなはもっと遠くにいるのよ。あなたを待っている人々はもっと遠くに。

少女は星見櫓からココロコに話しかけた。

私たちと一緒に行きましょう、私たちはまたあなたと共に生きる。みんなであなたの中に住むわ。だから一緒に行きましょう。

どうやって？

ココロコは考えた。どこに行けばよいのだろう？　歩いても、泳いでも、誰もいないこの世界で。

あなたはどこにでも行けるはず。私たちとどこにでも。

ふと、気が付くと、ココロコはふわりと宙に浮かんでいた。

ココロコは、自分が空を飛べることを知ったのである。

ココロコには再び旗が立った。風にはためく赤い旗。宇宙の風に吹かれ、どこまでも青い星々の中を進んでいく。そこにはココロコを待つ人々がいる。手紙を持って、手を振って迎えてくれる人がいる。

私たちはまだ旅の途中なのだ。

図書室の海

いつものように何気なく裏表紙を開いた瞬間、おや、と思った。

デジャ・ヴを見たような感覚。

それは、見覚えのある名前のせいだと気付いた。

むろん、同じ名前を探しているのだから名前に見覚えがあるのは当然だが、彼女がデジャ・ヴを覚えたのは、探している名前に続いて、やはりどこかで見たことのある名前が並んでいたからだった。

28　浅井光

筆圧の強い、くっきりした文字。

ふうん。

夏《なつ》は暫《しばら》くその名前を眺めていたが、ふと思い付いて、本棚から別の本を抜き取ってみた。この間借りた本だ。ひょっとしてここにも――果たして、裏表紙を開いてそこに貼《は》られた紙を見ると、青い日付スタンプに続き、目指す名前よりも少しあとにその名があった。

28 浅井光

やっぱり。

思いがけない発見に、じわりと胸が熱くなる。記憶にある限りの本を探し出して裏表紙を開けると、「浅井光」の名はその名前とあるいは並び、あるいは少し離れて書かれていた。

これはこれは。

夏は無意識のうちに顔を上げ、さりげなく図書室の中を見回していた。

窓べで行儀悪く座っている下級生の女の子と偶然目が合った。

図書室の窓の下はみな作り付けの本棚になっているのだが、その上に足まで上げてぺったりと座り込み、頭の後ろを片手で支えて本を読んでいる。

ショートカットで、時々見掛ける子だった。とんがったタイプとでもいうのか、「近寄らないでちょうだい」オーラを発していて、いつも一人でいる。

彼女は一瞬、ぎょっとしたような顔をしたが、「ふん」と言うように唇を尖《とが》らせ、プイと窓の外に目をやった。

夏は小さく肩をすくめ、最初に手に取った本を貸し出しカウンターに持ってゆく。


志田啓一の読んでいた本を探してみようと思い立ったのは、単なる思い付きに過ぎなかった。

彼が卒業してからもう半年以上経《た》つのだし、高校生にとって卒業生というのは、正直言って半分死んだ人みたいなものだと思う。自分が在籍するこの場所、この三年間だけが世界の中心で、ここだけが色を持って存在しているような感じだ。その周辺にある家族や町や、ニッポンや海外は単なる背景に過ぎない。

その中で、高校三年の関根夏は退屈していた。

いや、退屈という言葉は語弊がある。彼女は落ち込んだり、すねたり、憂鬱《ゆううつ》になったりといったマイナスの気分になる娘ではないのである。常に優秀な頭脳と好奇心を持って世界を見、柔軟な精神は着々と世界に出る準備を重ねている。容姿だって、この年ごろの娘ならば、かなりうぬぼれても許される程度のものは持っている。問題なのは、彼女はこの年ごろの娘にしては——いや、彼女の場合、幼い頃からそうだったのだが——いささかバランスが取れ過ぎており、自分を含め誰に対しても客観的な視点を持ち過ぎているということなのだ。

彼女は幼い頃から、薄々気付いていた。

自分が物語のヒロインにはなれないということを。

主人公になれるのは、揺れている者だけだ。さざなみのようにきらきら瞬《また》いて、光る部分と影の部分とを持っている者だけが主人公になれる。物語というものがどんな形であれ主人公の成長をテーマにしている以上、この条件は恐らく今後も変わることはあるまい。つまり、自分のように悩まぬ者、失敗しない者はヒロインになることはないのだ。なにしろ、お話にしても語るべきエピソードがなさすぎる。

彼女はTVアニメで涙する主人公を見ながら（しかも、彼はおよそ非科学的としか思えぬスパルタ教育を理不尽な父親から受けていて、その涙に同情する気はさらさら持てなかった）、子供心にも漠然とそんなことを感じていたのだった。

毎日ランドセルを背負って通学路を歩きながら少女は考えた。

どうやら、自分の居場所は子供時代ではないらしい。

子供らしい危なっかしさも大人が喜ぶ無邪気さもなく、あまりにも手が掛からないので常に親からも教師からも放っておかれた彼女にとって、大した権限も自由もない子供時代はひたすら長い準備期間でしかなかった。

恐らく自分の居場所は大人になってからの人生にあるのだろう。

少女の予感は正しかった。兄や弟が思春期や反抗期に突入し、母親が当惑し友人たちと愚痴を零《こぼ》している時も、彼女は淡々と周囲を観察していた。

兄たちは主人公になれる。だが、あたしにはなれないし、あたしには何も起こらない。


図書室は重い木の引き戸の向こうである。

二階の外れ。ぽっかりと開けた空の向こうには、ケヤキの木のてっぺんがこんもりと広がっている。

この高校は高台にある。古くは城跡だったというだけあって、遠くから見ると要塞《ようさい》に見えないこともない。しかし、校舎の内側からは、生徒の注意を散らさぬためなのか、外の景色がほとんど見えない。見えるのは空だけだ。

夏はこの図書室が好きだ。校内には幾つかお気に入りの場所があるが、中でもここが一番好きだった。

特に、戸を開けて入った瞬間の開放感が心地《ここち》好《よ》い。特別教室特有の広さ、天井の高さ。

ここは海に似ている。

夏はいつもそういう錯覚を感じる。

なぜか、この部屋に入ると、海原に出た船に乗っているような気分になるのだ。

図書室と言えば読書というよりも勉強している生徒が目立つものだが、この高校の場合、別の場所に独立した自習室があるため、図書室は意外と空いている。

重く大きな古い机と椅子《いす》。机にはあまりにも多くの文字が卒業生によって刻みこまれており、もはや判別不能である。

閲覧スペースは窓に囲まれているけれど、奥の書架のスペースは天井まで届く高い本棚がずらりと並んでいる。世界文学全集や古典全集、歴史事典や地理事典、美術全集に思想大系。そこに足を踏み入れると、どことなくカビくさく、辛気臭い空気に圧倒される。多くの生徒たちが同じ場所に立ち、同じ本のページをめくっていたのだと思うと不思議な心地すらする。

書架の暗がりで本を拾い読みするのも飽きて、夏はぶらぶらと窓べに歩いていく。

中途半端《はんぱ》な季節だ。

学園祭が終わったばかりで、どことなく全校に弛緩《しかん》した空気が流れている。

そろそろ受験に向けてアクセルを踏まなければならないのだろうが、ようやく紅葉の始まったばかりの街路樹を見ているとまだそんな気にはなれない。

ふと、後ろで誰かが動いたような気がした。

あれ？

夏は窓ガラスにうっすらと映っている後ろの風景に目をやった。

八人掛けの大きな机が全部で八個。その間に、大型本を入れる低い本棚が一列ある。

セーラー服を着た人影が、スッとその本棚の向こうを横切って書架の間に消えていったのがチラリと視界の隅をよぎる。

誰か入ってきたのかな。

「なっちゃーん、何ぼうっとしてんのー」

くぐもった声がすぐ後ろから響いて、ぎょっとして夏は振り向いた。

「あんた、いつからそこにいたの？」

並べた椅子の上で寝ていたらしい、ひょろりとした少年がもそもそと起き上がる。

「なっちゃんが来る前から。思わず爆睡しちゃったよ」

「ふうん」

夏は重い椅子を引いて、少年の向かい側に座った。少年も学生服を整えて座り直す。髪の毛が立っていて目やにが付いているところを見ると、かなり長い間眠っていたようだ。

「なあに、恋患《わずら》い？」

「だったらいいんだけどね」

夏はふんと鼻を鳴らした。少年は気にする様子もなくゴシゴシと目をこすった。

「演劇部の打ち上げ、行く？」

「多分ね、顔は出す」

桜庭克哉は一学年下。演劇部の後輩だった。

とはいっても、二人ともメインの部活動は硬式テニス部である。普段は運動部でも、学園祭の時期だけにわか文化部員となって、学園祭に参加する者は多い。大多数はクラスで参加するが、学園祭の期間のみ別の居場所を確保する者も多いのだ。演劇部と言っても、二人は役者ではない。大道具や小道具など、もろもろ裏方の手伝いだ。この時期だけ入り用になるスタッフを、夏が友人から頼まれて手伝っただけなのだが、力があって気の利《き》く雑用要員として、夏がテニス部の後輩から克哉をスカウトしたのだった。

見た目はひょろりとして頼りなげな雰囲気だが、克哉はテニスもうまく、頭のいい少年だった。当たりが柔らかく、ひょうきんな雰囲気があるので、年長者にも下にも好かれ、女の子に混じっていても違和感がない。夏が「使える奴《やつ》だ」と目を付けたのは正しかったのである。

「なっちゃんK大の推薦受けるんだって？」

「誰がそんなこと言ったの？」

「分かんない。みんなそう言ってたぜ」

「嘘《うそ》だよ」

「そうだよねー。そう来なくっちゃ。なっちゃん、勝負好きだし勝負強いもんね。絶対受験したいよね。推薦なんかじゃ面白くないよねえ」

夏は苦笑した。自分の性格が克哉に見抜かれていることにである。

ぼちぼち年末が近付いて来ると、この手のガセ情報が流れて受験生が神経を尖《とが》らせることになる。実際、確実に何人かは年内に推薦入学が決まるのだから、あながち完全なガセと否定しきれないところが余計に疑心暗鬼を煽《あお》るのだ。もっとも、夏がオールマイティかつコンスタントに成績がいいことはみんなが認めていたから、夏が推薦を受けるという噂《うわさ》が流れるのは無理からぬことではあった。

「なっちゃん、珍しく浮かない顔してたねえ。びっくりしちゃった」

「そう？」

「どうかしたの」

克哉は他人の心を読むのにも長《た》けていた。

「別に。もうすぐ高校生活も終わっちゃうんだなーと思って」

「へえ。なっちゃんでもそんなこと考えるんだ」

「考えるわよ」

「なっちゃんなんかさあ、さっさと卒業しちゃって、卒業したとたん速攻で俺らのことなんか忘れちゃいそうだもんな」

夏はおや、と思った。珍しく彼の口調に毒を感じたのである。が、彼の顔をもう一度見た時には、いつものへらへらした笑みしか残っていない。

克哉は童顔の上にいつもにこやかなので子供っぽく見えるが、実は中身は非常に大人だった。誰彼構わず優しいのではなく、嫌いな人物は徹底的に避ける、笑いながらグサリと相手の一番痛いところを刺す、そんな冷酷さも持っている。夏と克哉は割に似た者どうしだと互いに認め合っていた。あたしらってどうして噂にならないんだろうねえ、と時々二人で笑いあっていたが、二人でいるとどこか悪事の共犯者めいているので、カップルに見えないということも承知していた。

そういえばあたしも去年の今ごろはそう思ったな。

順繰りに卒業していくのだから仕方無いのだが、この時期、親しくしていた上級生が自分の未来の話しかしなくなるのがどことなく恨めしく、見捨てられたような気分になるのである。

そして、去年の今ごろは、目の前には志田啓一が座っていた。

早いもんだなあ。

急に、克哉の顔から笑みが消え、がたんと乱暴に椅子を引いて唐突に立ち上がった。

夏はハッとする。

「どしたの？」

「なっちゃん、ぼんやりしててつまんないよ」

「ゴメン、ね、ビアンカ行こうよ。暫く行ってないんだもん」

夏も慌《あわ》てて立ち上がった。克哉に、志田啓一のことを考えていることを見抜かれたような気がしたのだ。克哉はチラチラと恨めしそうに夏を見る。

「ビアンカ。うん、それ、いいね」

「奢《おご》ったげる」

「ほんと」

克哉はちょっと機嫌を直したようだ。

「行こ行こ」

克哉に続いて歩き出そうとした夏は、ふと違和感を覚えて足を止めた。

「なっちゃん？」

克哉がそのことに気付いて振り返る。

「どうかした？」

「ねえ、さっき誰かそこ通ったよね？」

「え？」

二人で薄暗い書架の奥を見る。書架の奥には誰もいなかった。見渡せない距離ではない。誰かがいたらすぐに分かるはずだ。

そんな。

夏は、かすかに首の後ろが強張《こわば》るのを感じた。

「うそ。さっき、誰か克哉の後ろの、本棚の向こう通って奥に入っていったよ。あたし、窓ガラスに映ったの、見た」

「ええ？　だったら、俺らが気付かないうちに出て行ったんじゃないの？」

「ううん、誰も出て行かなかったよ」

夏は硬い声で首を振った。

克哉はきょとんとして、書架の奥と夏の顔を交互に眺めていたが、やがてニヤリと笑った。

「分かった、幽霊だ」

「やめてよ。あたし、そういうのに全然縁がないヒトなんだから。いったい誰の幽霊だっていうのよ？」

「そんなの、決まってるだろ」

「誰よ」

克哉はくるりと背を向けて歩き出しながらあっさりと言った。

「サヨコだよ」

克哉の口からあまりにもあっさりとその名前が出たことに、夏は暫《しばら》く驚いていた。その名前を聞いたことはあった――同じ学校出身の兄がある時ふと漏らしたのだ。それでも、多くは語らなかった。

それはそういうものなのだ。校内でも、その名を聞くことはなかった。密《ひそ》かに語られている気配はあったが、表だった話題になることはついになかった。自分の在校中には何も起こらなかったし、起こる予定もなかったのだから。

克哉より少し遅れるようにして、学校の前の坂道を降りていく。目に見えて夕暮れが早くなっていた。同じ時間に下校しても、オレンジ色に滲《にじ》む空が濃くなっていくのは、心が何かに駆り立てられる物悲しい風景である。あたしは主人公にはなれない。あたしには何も起こらない。

「ねえ、サヨコって何？」

「え？」

急に克哉が尋ねたので、夏は面食らった。

「三年毎《ごと》なんでしょ？　噂によると来年らしいんだけど」

「さあ。それこそよくある学校の怪談話でしょ」

夏は無関心を装《よそお》ってそう答えながらも、さっき図書室で窓ガラスの中に見たものについて心のどこかで考えていた。スッと本棚の向こうを横切る人影が、繰り返し心の中で巻き戻される。しかし、心の別の場所ではそれを強く否定する声がある。

あたしがそんなものを見るはずがない。何かの錯覚に違いない。

「やっぱそういうことなのか。だったら別にいいんだけど、あれ、なんなんだろうね。みんなどういうわけか口に出さないじゃない。でも、そのくせみんなよく知ってるような気がしてさ。みんな、この名前出すと一瞬ぎょっとしたような顔になる。確かなことは誰も知らないけど、なんかこう、空気みたいにあの中に染《し》み込んでるんだよね」

克哉はちらっと崖《がけ》の上に見える校舎に目をやった。夏もつられて目をやる。遠い窓ガラスに夕暮れの光が反射していた。

「あの中、重いよね」

「重い？」

克哉の言葉を聞き返す。

「うん。俺、あの中に入ると、いつも身体《からだ》に負荷が掛かるような気がする」

「フカ？」

「マイナスの荷物」

「ああ、なるほど」

「伝統って奴なのかなあって思ってたんだけど、どうも違うような気がする」

克哉は鋭い、と夏は思う。彼もあの雰囲気を感じているのだ。みんなが普段は忘れているけれど、気が付くとどっぷり肌に染み込んでいるあの雰囲気を。

「逆かもしれないじゃない」

夏は俯《うつむ》き加減に歩きながら口を開いた。

「逆って？」

「ほんとは、どこにでもサヨコがいるのかもしれないよ――それをみんなが伝統という名で呼んでるのかもしれない。ほんとはサヨコがいるせいなのに、みんな勘違いしてるのかも」

「へえ。それ、面白い。なっちゃん、やっぱ今日、いつもと違う」

何気ない一言だったが、克哉が面白がる声を出したのがかえって意外だった。

「そう？」

「実はさあ、なんでサヨコの話なんかしたかっていうと、うちのクラスでさ、サヨコがいるかどうかって話になったのね」

「サヨコがいるかどうか？　それで？」

世間話のように話す克哉の言葉に、夏の身体のどこかが反応していた。ひんやりと身体のどこかが冷たくなっていく。

「で、今度呼び出すことになったんだよ」

「呼び出す？　どうやって？」

「コックリさんみたいにするらしいよ。サヨコ様って名前で放課後に呼ぶことになったの」

なぜか背筋が冷たくなった。

「まさか、克哉、それやるんじゃないでしょうね？」

「俺はやらないよ。見てるとは思うけど」

「いつやるの？」

「来週の土曜日の放課後。クラスのみんなで見てると思う」

「そう」

夏はなんだか喉《のど》の奥に苦い塊のようなものを感じた。

今日は火曜日だ。どこかで素早く日にちを数えている。

遠くで鈍くオレンジ色に光る窓ガラスが、こちらを見ているような気がした。

やめた方がいい。そんなことはしない方がいい。

夏は心に浮かんだその言葉を必死に否定した。

あたしはそんなもの信じない。あたしにそんな台詞《せりふ》は似合わない。だって、あたしの人生には何も起こらないのだから。

誰かが読んだ本を追いかけて読むというのは、けっこう難しい。

少女漫画か何かでロマンチックな憧《あこが》れを示す行為として紹介されているのを見て、なかなか優雅だと思い始めてみたものの、啓一の読んだ本を探すのは記憶に残っている数冊を除いて相当面倒臭かった。

本の後ろに貼《は》ってあるカードには、貸し出した日付と学年、クラス番号と名前が記入されている。人気のある本は何枚もカードが上に重ねて貼られていくし、あまり借りられていない本はカードは白紙で、何年も前に書かれた名前がいつまでもぽつねんと残されていたりする。啓一は、かなりの読書家だったので彼の名前が書かれている本は結構あったが、困ったことに非常な悪筆で、他にも悪筆の生徒は幾らでもいたので、時に啓一のサインを見分けるのは困難を極めた。

しかし、この「浅井光」なる生徒はよくやっている、と夏は感心した。彼が啓一の読んだ本を忠実に追っていることは間違いない。啓一のことを知っていたのか、それともたまたま本の趣味が一致していて彼の後を追うことに決めたのかは定かではなかった。真偽のほどは分からないが、その発見はなんとなく夏には嬉《うれ》しかった。

また一冊、二人の名前を同じカードに見つけ、心の中で快哉《かいさい》を叫ぶ。夏にとって、そのゲームはすっかり密かな楽しみになっていたのである。

今日はこの辺で帰ろうか。

そう思って本を閉じた時、スッと書架の間に誰かが入ってきた。

あ、あの子だ。

ショートカットのスラリとした娘。彼女の方も夏に気付き、パッと足を止める。

こんなに近くで見るのは初めてだった。

表情はきついものの、綺麗《きれい》な子だ。茶色の大きな瞳《ひとみ》の上に形のよい眉毛《まゆげ》が載っていて、人形のような鼻と小さな唇が面長の顔をひき締めている。

こんなに可愛《かわい》いのに、何をいつも怒ってるんだろ。

夏はちょっとだけ会釈《えしやく》してみせた。

彼女の美しさに対する賞賛と、彼女の苛立《いらだ》ちに対する疑問符とを込めて微笑《ほほえ》みかけたつもりだったが、返ってきたのは冷たい侮蔑《ぶべつ》の視線だった。

少女はあからさまに不快の表情を見せ、くるりと踵《きびす》を返してサッと窓べに去っていった。

胸の中が不意に苦くなる。

なぜだろう。なぜこんなささいなことに苦くなる？

夏は少女の背中を見つめる。

あたしは傷ついてなんかいない。こんなことに傷つくなんて間違っている。人は知っている人みんなに好かれることなんかできない。世の中にはいろいろな人がいる。

少女の紺色の背中は、窓べで寒々と浮かび上がっていた。まるで、晩秋の陽射《ひざ》しすら拒絶しているように見える。


一雨ごとに、季節が深くなる。

低い溜《た》め息《いき》のような空気が、木々を少しずつ濁った色彩に沈めてゆく。

夏は図書室で二つの名前を探す。テニス部の一つ年上の先輩——今はもういない生徒の名前と、その名前を追うもう一つの名前。

何してるんだろうあたし、と夏は自嘲《じちょう》する。

あたしにしては些《いささ》かメランコリック過ぎはしまいか。マイナスの感情を抱かないはずなのに、メランコリーというのは果たしてマイナス感情なのか。

そんなことを考えつつも、メランコリーを感じている自分を面白く観察している自分がどこかにいる。ここでもう少しメランコリックな自分に酔えれば、あたしもヒロインになれたかもしれないのに。

「──なっちゃん、ひょっとして、志田先輩のこと好きだったの？」

ぎくっとして顔を上げると、机の向こうに克哉の顔がある。

「なんで？」

「いや、なんとなく。仲良かったじゃん」

夏は克哉の顔を観察した。果たして、これが周到に準備された質問なのか、それともこの場の思い付きなのか。彼の表情からはどちらとも読み取れなかった。

自分はどうだろう。ちゃんと怪訝《けげん》そうな表情になっているだろうか？

「仲良かったし尊敬してたけど、そういう感じじゃなかったよ」

「そう？」

克哉は疑《うたぐ》り深い顔になる。夏は苦笑した。

そう。そういう感じじゃなかったのだ。だから今悩んでいるのではないか。

夏は口に出してそう言おうかと思ったが、すぐに思いとどまった。

「克哉はどうなのよ。美保ちゃんとうまくいってるの?」

「駄目」

「ええっ、駄目なの?」

「たぶん。もう駄目なような気がする。最近冷たい」

テニス部の同学年の子と、彼はもう一年近くつきあっているはずだった。

「何よ、美保ちゃんの方から言ってきたんでしょ」

「俺、愛想尽かされたかも」

「なんで」

「俺、テキトーだから」

「そんなことないよ、克哉が適当なら、みんなもっと適当じゃない」

「へ、へ」

克哉は頭を掻《か》いた。どこか苦い表情になったので、それ以上は深追いしない。

暫く互いの手の中にある本をパラパラとめくるが、どちらも読書に身が入っていないことは確かだった。

「ねえ、俺、噂《うわさ》聞いたんだけど」

「どんな」

再び克哉が顔を上げて囁《ささや》いたのに、ページに目を落としたまま答える。

「志田先輩が、鍵《かぎ》持ってたって話」

顔が強張《こわば》るのを感じた。なるべく自然な間で顔を上げる。

「鍵って、なんの」

「ほら、サヨコのだよ」

「サヨコの鍵？」

「うん。それを毎年卒業式に次の代の誰かに渡すんだってさ。その鍵を使って、何かするらしいよ。だから、今も誰か、その鍵をずっと持ってるってことみたい。なっちゃん、先輩からその話聞いてなかった？」

「ううん、そんな話聞いてないよ」

「ほんと？」

「ほんと」

「そうかあ。サヨコ様に聞いてみようかな」

克哉は頭の後ろで両手を組んで、天井を睨《にら》んだ。

「そうすれば」

夏は平静を装《よそお》い、ページに没頭しているふりをする。

「ねえ、なっちゃん。この図書室って、なんだか船に似てるよねえ」

克哉の何気ない言葉にハッとする。

「克哉もそう思う？　あたしもよ。なんだか、この部屋に入ると、いつも大海原に漕《こ》ぎ出したような気分になるの。へえ、やっぱり。あたしだけじゃなかったんだ」

「梁《はり》のせいだよ」

興奮して同意したのに、事もなげに返事をされたので夏は拍子抜けした。

「梁？」

「うん」

克哉は奥の書架を指差した。

「ほら。奥の本棚って、こっちから見ると柱が並んでるように見えるじゃん。で、奥の正面にも本棚があって、そっちは横の線がずらりと縦に並んでる。縦と横の線がクロスしてるよね。で、天井にはおっきなコンクリートの梁が二本通ってるから、見る場所によっては、柱と正面の本棚の、上の左右の部分が隠れて見える。そうすると、一瞬、本棚が帆船のマストみたいに見えるんだよね」

夏は何か新しいものに目を開かれたような気がした。不意に、見ている景色が明るくなったような心地。

「ほんとだ。そうか。そうだね。だから、図書室に入ってくると、フローリングの床が甲板みたいに見えるんだ」

「うん。きっとそうだよ」

「凄《すご》い凄い。今まで気付かなかった。じゃあ、海は？」

「え？」

聞きとがめた克哉の表情に気付かないふりをする。

海は。

夏は窓を振り返った。外の空は白く輝いている。切り取られた空。無限の空。

海はどこにあるんだろう。


図書室の重い引き戸を開ける。

窓べにあの少女が立っている。

刺すような視線。

夏は醒《さ》めた心で少女を観察する。

なんだろう、この敵意は。私がこの少女に何をしたというのだろう。興味を示したことが気に食わなかったのか。彼女の「近寄らないでオーラ」を踏みにじったことが許せないのか。

少女の姿は、窓を背にして額縁に収まっているみたいだった。

こんなに絵になるのに、何が気に入らないの？

夏は少女を見ながら、奥の書架へ進む。

好意に悪意。全く言葉が交わされていないのに伝わってくる感情。人の心とはなんと不思議で不確かなものなのだろう。

少女の輪郭が、空に溶ける。

図書室は船。じゃあ、海はどこにあるんだろう？

夏は少女の後ろの空に問い掛ける。

その質問の答を考え続けたある日。

下校しようと友人と喋《しゃべ》りながら靴を履いた瞬間、パッと頭の中にある言葉が閃《ひらめ》いた。

——サヨコ様に聞いてみようかな。

克哉の声だ。なぜ今こんな言葉が閃いたの？
夏は棒立ちになる。友人が、その様子を見て、不思議そうな顔になる。
胸の中がもやもやした。何か大事なことを忘れているような気がする。
この不安な気持ちは何だろう。いつ克哉はこの言葉を言ったんだっけ？
鍵。そう、鍵だ。

「志田先輩が、鍵持ってたって話」

そうだ。その話をあたしが知っていたかと彼は聞いた。あたしは聞いていないと答えた。そうしたら、彼はそう言ったのだ。

——そうかあ。サヨコ様に聞いてみようかな。

夏はぞっとした。

「そうすれば」と答えた自分の声が脳裏に蘇《よみがえ》る。

あの時は聞き逃していたが、それは、すなわち彼のクラスで行われるコックリさんの会のことを指していたのではないか？　そして、彼はその会で、サヨコ様にこう聞くつもりなのだ——今、鍵を持っているのは誰か、と。

そして、その会が開かれる日は。

新たな戦慄《せんりつ》が全身を駆け抜ける。

今日だ。

「どしたの、夏？」

夏は友人の声に我に返った。慌《あわ》てて拝んで見せる。

「ごめん、忘れ物しちゃった。先帰っててていいよ」

「え？　いいよ、待ってるよ」

「ちょっと時間かかりそうなんだ。行ってて。あんた、バスの時間あるでしょ」

「ほんとにいいの？」

「いい、いい」

夏は生返事で靴を下駄箱《げたばこ》に入れ、校内に戻った。

週明けにテストを控えた土曜日だ。生徒たちは早々に帰宅し、肌寒い校内は閑散としている。

二年の教室はどこだっけ？

階段を駆け上り、長い灰色の廊下を音もなく走り、順番に教室を覗《のぞ》きこむ。

克哉は何組だった？

クラスのみんなで見てる。

そんなことを言っていたけど、このテスト前にそんなに生徒が残っているなんてこと、あるだろうか。廊下はしんと静まり返っている。

それとも、もうその会は始まっているのだろうか？　息を詰めて、生徒たちがテーブルの上の指を見守っているのだろうか。

教室の扉はどこも開け放たれていて、そっくり同じ風景が鏡の中の風景のように繰り返されていく。

どの教室も無人だ。二年の教室全《すべ》てを見たが、人っ子一人いない。

中止になったのだ。

乱れた呼吸を整えながら、夏は安堵《あんど》していた。

コックリさんをやろうと日時を決めた時には盛り上がったが、実際にやる段になって、試験も近いし馬鹿《ばか》らしくなったのだろう。

改めて大きく溜め息をつく。そうだ。よくあることだ。

「ほんとにやるのかよ」「やめにしない？」「テストが終わってからにすれば？」

誰かが帰り始めると、残っている方も浮き足立つ。間近に迫ったテストの準備は進んでいない。焦《あせ》りもある。互いの表情を見ながら、みんなこそこそと帰っていったに違いない。よくあることだ。

夏は汗が冷えるのを感じながら、今度はゆっくり歩いて戻り始めた。

来た時には見えなかった黒板が目に入る。

何気なく黒板に目をやった夏は、ある教室の前でぎょっとして足を止めた。

目に白い文字が飛び込んでくる。

放課後　図書室に集合

大きくチョークで書いてある。

全身が凍り付いた。全身の血液がどっと逆流してくる。

こんなことをするのは、その会しかない。

サヨコ様。

夏は再び駆け出していた。

階段を駆け降り、別の棟に向かう。

図書室は二階の外れ。

心臓はどくどくと激しく打っていた。

あたしが行ったからってどうなるというのだろう。あたしにその会を止《や》めさせることなどできるのだろうか？　いったい何と言って説得するのだ？　彼等が上級生の意見を聞き入れるだろうか？　克哉に頼めば何とかなるかもしれない。いや、彼だってクラスではみんなの意見に従わざるを得ないだろう。だが、止めなければ。なんとかして、その質問を止めなければ！

廊下の奥に図書室の見慣れた扉が見えてきたが、辺りはしんと静まり返っていた。

図書室の中に、ずらりと生徒たちが並んでいるところが目に浮かんだ。

大きなテーブルの角に、緊張した面持ちの生徒が座っている。窓は開けられ、冷たい風が吹き込んでいる。制服を着た生徒たちは、固唾《かたず》を飲んでテーブルに乗せられた指を凝視している——

夏は重い引き戸に思い切って手を掛けた。

なんて重いの。いつもよりますます重い。

ガラリと鈍い音がして戸が開く。

一瞬、部屋の中が真っ白に見えた。


あれ？


夏はあっけに取られた。がらんとした図書室。想像していた大勢の生徒たちはどこにもいない。足は止まっても、心臓の激しい鼓動は止まらない。

しかし、部屋が無人ではないことに、少ししてから夏はようやく気が付いた。

男子生徒と女子生徒が一人ずつ、窓べのテーブルに向かい合って座っている。

夏はまじまじとその二人を見た。

一人は克哉だ。克哉は無表情な目で図書室の入口に立っている夏を見ている。

そして、もう一人は。

いい、あの子だ。ショートカットであたしを睨《にら》み付けた、あの子。

夏はきょとんとして二人を見ていた。二人も夏を見ている。

夏は混乱した。

この二人、知り合いだったの？　ひょっとして、克哉はこの子とつきあっていたのだろうか？　だから、美保ちゃんとうまくいかなくなってたのかしら？

「いらっしゃい」

克哉がニコッと笑った。

「あんたたちって」

夏は息切れしながら呟《つぶや》いた。

少女は硬い表情で夏を見ている。

「やっぱり来たね。うちのクラスの黒板を見たんでしょう」

克哉はにやにやしながら自分の隣の椅子《いす》を引き、夏に向かって手招きした。

その言葉を聞いて、騙《だま》されたのだと気付く。

混乱は苛立《いらだ》ちに変わり、夏は思わず克哉を睨み付けた。

「あんた、騙したわね。コックリさんやるなんて言って」

「随分待っちゃったよ。もう帰ったかと思った」

平気な顔の克哉を睨んだまま、夏は肩で息をしながら図書室に入ってゆき、克哉の隣に腰を下ろした。

目の前に少女の顔がある。夏は少女から視線を放さなかった。少女もひるむことなく夏を見ている。

「——いったい」

夏が追及しようと口を開きかけた瞬間、少女がきっぱりと言った。

「やっぱり、関根さんが鍵を持ってるんですね」

拍手がさざめく体育館。

花を受け取り、次々と出て行く卒業生。

その一瞬が、スローモーションのように蘇る。

テンポよく渡されていく花が、一瞬ぎくしゃくとする。

握り返された手に驚き、顔を上げた夏を、ニッとかすかに笑って振り返った啓一。

そして、手の中にはかすかにぬくもりをもった古い鍵《かぎ》が残されていた。

あっけに取られて、啓一の後ろ姿を見送る夏。

しかし、啓一はもう前を向いていた。手に持った花を掲げ、自分を見送る夏の視線を意識しているかのごとく、小さく振りながら外の世界へと歩いてゆく。

あの瞬間、世界は色を変えた。

あたしには何も起こらない。

確かに大したことではない。一年間ずっとそれを持っていて、次の卒業式で誰かに渡せばいい。

しかし、それは長い時間だった。たった一人きりの、秘密の一年間が幕を開けたのだ。

「あたし、ずっと志田さんを見てたから分かったんです。志田さんが、関根さんに鍵渡したんだって」

「あなた、志田さんの」

夏が不思議そうに尋ねると、克哉が口を挟んだ。

「彼女、志田先輩の幼馴染《なじ》みなんだってさ」

「ああ、そうか」

それで憧《あこが》れていたわけか。夏は無意識のうちに大きく頷《うなず》いていた。

あたしに敵意を見せていたのはそのせいか。

克哉がさりげなく言った。

「で、俺はなっちゃんを見てたから、なっちゃんが志田さんから何か受け取ったって気付いてた」

　夏は驚いて克哉の顔を見た。

「やだ、見てたの」

「うん」

　克哉はスッと目を反らした。その理由を深く考えない方がいい、と本能がどこかで告げていた。

「渡すだけのサヨコ。やっぱり続いてたんだ」

　少女がポツンと言った。

「あたし、ずっと考えてたのよ。志田先輩は、どうやってあたしに鍵を渡したんだろうって」

　夏はあきらめて独り言のように呟いた。もう、この二人には隠しきれないし、白ばっくれても納得しないだろう。

「鍵を渡された時に、先輩の顔を見てすぐに気付いたの。先輩は、最初からあたしに鍵を渡すつもりだったんだって。でも、それって難しいよねって」

「そんなことないよ」

すぐに克哉が言った。夏も頷く。

「うん。花を渡す在校生の列が近付いた時に、何人先にあたしがいるかを数えて、列の順番を入れ替えればいいんだものね。出口近くなんて、列がぐちゃぐちゃだし、在校生が溜《た》まって騒いでるから、入れ替わったって誰も咎《とが》めやしない。でもね、あたしが悩んでたのは、そのあと送られてきた手紙の方なの」

「手紙？」

克哉と少女は同時に身を乗り出した。

「そう」

夏は頷いた。

「サヨコ役には、鍵を渡した人から手紙が届くのよ。西暦を書いた紙が入ってて、次にすることの指示が入ってる。あたしは、来年まで鍵を保管して、卒業式に渡すだけ。でも、それ以外に志田先輩から手紙が入ってた」

「なんて？」

二人が真剣な顔で夏を見ている。夏は肩をすくめた。

「『図書室の海をよろしく』」

「え？」

二人はあっけに取られた。恐らく、夏の言葉がよく聞き取れなかったのだろう。夏はもう一度言った。

「『図書室の海をよろしく』、よ。こないだの話覚えてる？　あたしが、じゃあ海はどこって言ったの覚えてない？」

夏は克哉の顔を見た。

克哉はようやく「ああ」と頷いた。

少女が怪訝《けげん》そうな顔をしていることに気付き、克哉がこの図書室が帆船に似ている理由を説明する。

「そうか。俺、実は、本棚が帆船に見えるってこと、志田先輩に聞いたんだよね」

克哉がそう言うのを聞いて、自分もそうだったのかもしれない、と夏は思った。説明の方は忘れてしまい、船に乗ったような気分になることだけを覚えていたのかもしれない。

「でも、『図書室の海』ってなんだろ？」

克哉は首をひねった。

「ね、悩むでしょ？　あたしがぼうっとしてた気持ち、分かるでしょ」

「そうか。なっちゃんはそれでぼんやりしてたんだ。別に志田先輩に恋い焦《こ》がれてたわけじゃなかったわけね」

「だから、そうじゃないって最初から言ってるじゃない」

夏は克哉の肩をこづいた。それは、恐らく啓一を慕っていた——そして今も慕っているであろう目の前の少女に聞かせるための台詞《せりふ》でもあった。

そう。だから、何かのヒントがないかと志田啓一の読んでいた本をチェックしていたのだ。図書室の中の本に、何かあるのではないかと。

「分かってるわね、内緒よ、あたしが鍵を持ってることは。本当は誰にも知られずに一年過ごさなきゃならないんだから」

夏は声を潜め、二人の顔を交互に睨み付けた。

二人は真剣な表情で頷く。

夏は安堵と落胆とを同時に感じていた。

その秘密は思ったよりも重かった。奇妙な伝統を背負った秘密。たった一人で持ち続ける秘密。あたしは主人公にはなれない。あたしの人生には何も起こらない。そう自分に言い聞かせる毎日だった。

確かに、大したことではないはずだった。誰にも言わずにただ一本の鍵を持ち続けるだけでいいのだ。そんなことは、夏にとってなんでもないことのはずだった。

しかし、それは想像以上にこたえた。秘密を持ち続けていくこと、秘密を繋《つな》げていくこと。そのことがどれほどしんどいことなのか、夏は身をもって体験したのだ。

「お願いです。あたしに鍵を渡してください」

急に、思い詰めた顔で少女が懇願した。

「えっ。駄目だよ、俺がもらうんだから」

克哉が慌《あわ》てたように言った。

「何よ、あんたたち、二人してズルしようっていうの？」

「それを言うなら志田先輩だってそうでしょ」

「第一、あんたたちに渡せるかしら？」

「大丈夫。なっちゃんも、俺たちも、8組だから、かなり近くにいることは確かだよ。だから、なっちゃんが操作すればいいんだ」

「あら、あんたたち、同じクラスなの？」

夏が驚くと、二人は大きく頷いた。

「もしくは、あたしたちが動くって手もあるわ。あたしたちが動いて、関根さんに花を渡せる位置に移れば」

少女が思い付いたように言うと、何気なく克哉の顔を見た。一瞬睨みあいになり、二人の間に火花が散ったような気がした。

夏は苦笑する。

「ほんとにやりたいの？　大変よ。あたしはもうこりごり」

そうか。そういう考え方もあるのか。

うんざりした顔をしながら、夏はどこかで新鮮な気持ちを覚えていた。

進んでサヨコになる。進んで伝説を作る。

やっぱり、世の中にはいろいろな人がいるものなのだ。

「どっちに渡すかは、卒業式まで考えるわ。もしかすると、別の人にするかもしれないし」

「えーっ」

「そんな、今さら」

二人は異議を唱えたが、夏は取り合わなかった。決定権は、夏の方にある。

こっちは一年も我慢するんだから、それくらいは楽しませてもらわないとね。

「――ねえ、彼女の名前なんていうの？」

ふと、まだ名前を聞いていなかったことを思い出して、夏は克哉に尋ねた。

克哉はニッと笑った。

「こいつね、ひかりってぇの。男みたいな名前でしょ？　浅井光」

夏は思わず少女の顔を見た。

少女は照れたような笑みを浮かべる。彼女の方でも、夏が啓一の読んだ本を追いかけていることに気付いていたのだろう。そして、自分の名前に夏が気付いていたことにも。

「ごめんなさい、何度も声掛けようと思ってたんだけど、あたし、ぶっきらぼうで、どうやって声掛けていいか分からなくって。緊張するとますますぶっきらぼうになっちゃうの。本棚のところでばったり顔合わせた時は、正直パニックになっちゃって」

ひかりは気まずい表情で上目遣いに夏を見た。

なるほど。あの侮蔑《ぶべつ》の表情は、パニックを糊塗《こと》するためのものだったのか。

夏はなんとなく気抜けした。

「帰ろうか。ビアンカでお茶飲まない？」

「いいね」

三人が腰を浮かせた時、突然ガタンと大きな音がした。

一斉に音のした方を見る。

書架の奥の床に、本が落ちていた。

三人で恐る恐る近付く。

「ここから落ちたんだね」

克哉が、棚の上の空白を指さした。

「びっくりした」

「はみだしてたのかしら」

夏が腰をかがめ、開いて伏せた形になっていた本を拾い上げる。

「あ」

夏はぎくりとした。

裏表紙のカード。

そのカードには、三つの名前しか書かれていなかった。

志田啓一。浅井光。関根夏。


この図書室は船に似ている。

夏は、冬の陽射《ひざ》しの中で、大きなテーブルに載せた本を読む。

なぜならば、この部屋の重い引き戸を開けた瞬間、大海原に漕ぎ出した船に乗っているような気分になれるからだ。

同じテーブルで、ひかりと克哉が牽制《けんせい》しあうように話をしている。時々二人は思い出したように夏に話しかける。

夏は、最近、啓一のメッセージが理解できたような気がしている。

図書室の海をよろしく。

図書室は船。では、海は？

夏は時々手を休め、そっと大きな窓を見上げる。

図書室は船。図書室の外が海。

夏は高い陽射しに目を細める。

窓の外にあるのは空。

そして、空に満ちている光。

もしかすると、あの言葉に大した意味はなかったのかもしれない。これは単なる彼女の深読みなのかもしれない。

もしかすると、啓一はひかりに鍵を渡してほしかったのかもしれない。彼も、可愛《かわい》い幼馴染《なじ》みにほのかな思いを寄せていたのかもしれない。

全《すべ》ては謎《なぞ》のまま。でも、最後に決めるのはあたしなんだからね。

夏は窓に溢《あふ》れる光に顔を向け、一人でにやりと笑う。
まだ、彼女はどちらに鍵を渡すのかは決めていない。

ノスタルジア

「さあ、始めようか」

それが行われるのは、五月の夜。ねっとりとした闇《やみ》の濃い、夜の十二時半頃の、蛾《が》の舞う古い家の二階の窓辺。白いレースのカーテンの向こうには庭の木の繁《しげ》みが揺れる。

または、初冬の晴れた日の夕暮れ。田舎の田圃《たんぼ》の中を走る、鈍行列車の中で。あるいは、真夏でもいい。カンカンに陽が照りつける、真昼の海辺の駅。待合室の影の中、冷んやりした木のベンチに腰かけて——

「『懐《なつ》かしい』気分になってくれたかい？」

みんなで目を閉じ、おのおのが自分の深いところに横たわる過去という海の中に自分を沈めてゆく。懐かしくて、切なくて、泣きたいような気分になるまで自分を追い詰める——遠い記憶の底から浮かび上がるセピア色の断片を一つ一つ取り出す——

「じゃあ、おまえからいってみようか」

名指しされた者はちょっぴりためらう。それを始めるには小さな決心が要る。しかし、わずかな間をおいて、彼は羞恥《しゅうち》と自己嫌悪《けんお》のいり混じった堅い声で話し始める。

「オレね、自分が生まれた日の記憶があるんだ」

かすかな笑い声が起きた。三島由紀夫かおまえは、という声が聞こえた。

「三島由紀夫がどうしたのかは知らないけど、嘘《うそ》じゃないぜ。懐かしいと言えば、これくらい懐かしい記憶はないだろ。なんたって、人生の始まった日の記憶だからな」

言ってみろよ、というかすかな揶揄《やゆ》の混じった声が上がる。

「部屋の中の風景なんだ。周りで人がガヤガヤ盛り上がってる気配がして、ひびの入った壁が見える。そこに、お袋の着てたコートがかかってるのが見える。小豆色のコート。壁の隣にはカレンダーが見える。建設会社のカレンダーでね、1964.11という数字がはっきり見える。図柄も覚えてる。世界の建築物のカレンダーなんだ。ロシアなんだよ、あとで分かったんだけど。ロシアって、面白い木造建築を作るんだな。俗に『ねぎ坊主《ぼうず》』ってあだ名がついてるらしいんだけど、寄木細工みたいな建物の上に、玉葱《たまねぎ》みたいにまんまるい玉が屋根のてっぺんに乗っかってる。その建物の写真なんだ」

おまえのオフクロ、家でおまえを産んだのか？　いぶかしげな声がする。

「うん、オレの母親は福島出身なんだけど、実家の辺りでは今でも産婆《さんば》さんちに行って、座産——座って子供を産むんだな。一升瓶と米と、新聞紙を一束持ってくんだって。ワイルドだよなあ。ほとんどの人は産んだその日に、赤ん坊を抱いて自分ちに帰るってんだから、田舎の女は丈夫だよ。どうやら、さっきのはその産婆さんちの記憶らしいんだ」

おまえのオフクロの記憶なんじゃないのか？　だって、生まれたばっかなんて、目も開いてないじゃないか。別の声が言った。

「いや、違う。オレのだ。その時、オレはオレに触ってる母親の腕の感触を覚えてる。オレ、小学生になった時に、絵を描いた。あの『ねぎ坊主』の絵だ。母親に見せて、こういう写真のある部屋にいたよね、って言って、初めて母親も産婆さんの家にカレンダーがかかってたことを思い出したくらいだから。とにかく、これがオレのいちばん古い、懐かしい記憶なんだ」

頑固に言い切る彼の記憶に対し、ひとしきり議論が交わされたが、やがてそれも一段落した。

「次は、おまえか？」

みんなの視線が、別の者に集まる。彼はきょとんとしている。困ったような顔で、ぼそぼそ話を始める。

「俺、思うんだけど、時間ってやっぱり連続してないよね。ぐるりと回ったり、逆行したり、あちこちで切れたり重なったりしてると思う」

これまた、何言ってるんだこいつは、というあきれ声が響いた。

「俺、すっごく懐かしい記憶がある。これを思い出すと、時間のうねりがうわーっと頭の中に押し寄せてきて、泣きたいような、眩暈《めまい》のするような、えらくどんよりした気分になる。それがどういう記憶かっていうと、霧の立ち込めた野原でさ、真ん中に舗装されてない一本道が見える。それで、霧の向こう側から小さな子供が二人ゆっくり走ってくる。名前も知らない女の子二人。これが、双子なんだ。にこにこしながら走ってくる。時々これだけふうっと情景が浮かんできて、そうすると、腰から力が抜けて、ふにゃーっとへたりこんでしまいたいくらい憂鬱《ゆううつ》な気分になる。いつ、どこの記憶なのか、ずうっと分からなかったんだ。でも、十歳くらいの時からこの記憶があったんだよね。それが、こないだ、たまたま教育テレビを見てて、めちゃめちゃびっくりしたんだ。牛腸茂雄《ごちょうしげお》、ってずっと昔に脊椎《せきつい》カリエスかなんかで若いのに死んじゃった写真家がいるんだけど、その人の撮った写真の中に、これと全く同じ風景があるんだよ。白黒写真でね、霧のかかった野原の中の道を、子供が二人走ってくる。それが、記憶の中の子にそっくりなんだ」

　要するに、おまえはどこかでその写真を見てたってことだろ。誰かが鼻を鳴らす。

　彼は、ますます困ったように首をひねり、落ち着かないようにあごを撫《な》でる。

「そうじゃないんだ。俺、よく考えてみたんだけど、たぶん、その教育テレビを見た時に初めてその風景を見たんだな。その記憶が、子供の頃の俺を繰り返し訪れてたんだと思う。だから言ったろ、時間は続いてるんじゃないし、記憶は続いてるんじゃない。あちこちでねじれたり逆戻りしたりしてるんだ」

　ほっとこうぜこいつ、と周囲では頭を左右に振っているが、彼はおかまいなしだ。

「お次は誰だ？」

　つかのまの沈黙が落ちる。ちょっとあらたまった雰囲気。彼はあぐらをかいて、ゆったりと煙草《たばこ》を吸っている。みんなが無言で促す。

「——スピルバーグの『ポルターガイスト』って映画見たことあるか？　あれ、夜中に砂の嵐《あらし》状態のテレビを見てると幽霊が出てくるって話なんだけど、俺、似たような経験があるんだ。ちっちゃい頃に、夜中にこっそりテレビを見てるんだ。何かどうしても見たい番組があったんだな。今考えてみると、夜中じゃなかったのかもしれない。

子供だったし、九時とか十時だったのに夜中だって思い込んでたのかもしれない。とにかく、部屋には俺しかいなかったし、家じゅう寝静まってた。俺はパジャマ姿で、カーディガンを羽織って、こたつに入ってた。誰かに、夜中にテレビを見てるのを見つかるんじゃないかとひやひやしながらね。じっとテレビを見てる。そうすると、突然コマーシャルがぶつっと切れて、ザーッという砂の嵐状態になる。やがてそれも急に切れて、テレビにどこか知らない町が映るんだ。北の方——理由は分からないけど、色の感じとかで、ああ、これは北の方の町なんだな、と思うわけ。海辺の町でね。画面のはじっこに海が見えて、画面の真ん中はアスファルトの道路がえんえん続いてる。ぶれた、荒い粒子の映像で、電信柱がゆっくり流れていくんで、道を先に進んでいるとわかる。こういう、音のない画面がずっと流れ続ける」

みんな静かに聞き入っている。

「これには、続きがあるんだ。こういう夜が何回もあって、ずうっと同じ町の道路が映り続ける。前回見た風景の続きが、その次の夜に映る。カメラは少しずつ遠くへ移動しているらしい。何回か単調な風景が続いて、俺もいい加減飽きてくるんだな。いったいどこまで行くんだろう、と思いつつそれでもじっと見てるわけだ。そうすると、ある日、道の先に、一人の髪の長い女の子が出てくるんだ。最初は画面の遠くの方にぽつんと見えたのが、だんだんアップになって近づいてくる。あどけない、十三くらいの女の子。それまで全く音がなかったのに、その子の顔が近づいてきて、上半身くらいになった時、突然しゃべるんだ。『あたし、ゆきちゃんとこに先に行ってるから』。それだけ。それが最後だった。そこでぶつっと映像が切れちゃって、また普通のテレビ番組に戻る」

げーっ、怖いぞそれは、という恐怖に満ちた悲鳴があちこちで上がる。

「全然怖くないんだよ、これが。その女の子も、海辺の町も、とにかく懐かしくてたまらないんだ。この記憶を思い浮かべる時って、どちらかと言えばほのぼのとした気分なんだよね。いつか、彼女に会えるんじゃないかと思って、密《ひそ》かに楽しみにしてるんだけど」

彼はしゃあしゃあとした顔だ。しかし、周囲には未《いま》だ恐怖の覚めやらぬざわめきがひとしきり漂う。

「それから？」

みんなの目がある顔に注目する。彼は、ぼうっとしている。頰杖《ほおづえ》をついて、遠くを見ている。近くにいる者が腕をつねり、彼は飛び上がって辺りを見回す。

「僕？　僕ね」

少しどぎまぎしたあと、ほっと溜《た》め息《いき》をついて、彼は夢見るような表情になる。

「――それが、自分の体験なのか、夢なのかは分からない。どこかの静かな、古い町並みの住宅街。黒い瓦《かわら》屋根の木造の家の二階に僕はいる。季節は二月頃。どうやら、誰かの家に下宿しているらしい。二階の窓べで、畳に座って、外を見下ろしている。雲一つないとてもいい天気で、空気は冷たいけれど陽射《ひざ》しはぽかぽかあったかい。僕はすごくリラックスしている。窓の外の、その家の庭に、梅の木がある。白い梅の花が満開で、空気が梅の花でぼうっと煙っている。とても美しい、夢のような眺めなんだ。ああ、春が近いんだなあ、と僕は思う。隣に座ってる誰かと、その気持ちを分かちあっている。僕にとって彼はとても居心地のいい奴《やつ》だ。言葉を交わす必要なんか、ほとんどない。それが誰だか分からないけれど、僕にとって大事な人間だということは分かる。男で、自分と同じくらいの歳《とし》だということしか覚えていない。今でもすぐに目に浮かぶ。遠くで鳴いている鳥の声が聞こえるし、ほっぺたに当たる光の感触やあったかさも思い浮かべられる。でも、いったいそれが誰の家で、一緒にいたのが誰なのかはどうしても思い出せない――」

「先に行ってるから」

誰かが耳元で囁《ささや》いたような気がして、私ははっと我に返った。慌《あわ》てて顔を上げると、髪の長い少女の後ろ姿が、通路のドアを閉めて隣の車輛《しゃりょう》に消えていくところだった。あの子が？　知り合いだったのかしら？　ただの空耳？

私は背伸びをした。電車の発車時間を待ちながらぼんやりしていたらしい。観光シーズンでもない平日の午前中とあって、電車は空《す》いていた。私の座っているボックスは私一人だけである。新宿駅のホームは背広姿のビジネスマンでいっぱい。この窓一枚を隔てて、日常と非日常の時間が流れているのを見るのは不思議だ。車窓というのは額縁に似ているな、と思ったとたん、自分の部屋にかかっている一枚の絵を思い出した。

もともと、木製の額縁の方を気に入って買い求めたものだ。何かの用があって宮益《みやます》坂《ざか》を登っていた時、途中にあった額縁屋にフラッと入って一目で気に入った。赤みがかった太い縁にははっきりと木目が浮かび、四隅に素朴な花のレリーフが入っている。これが欲しいんですが、と店員に言うと、これ一枚しかないんです、と店員が答えた。じゃあこれをください、と言うと、箱がないんです、とその店員が答えた。箱がなくてもいい、と言うと、そうですか、とようやく店員は渋々その額を包み始めた。もしかすると、彼も密かにその額縁を気に入っていて、人に売りたくなかったのかもしれない。

今、その額に納まっているのはアンドリュー・ワイエスの「ヘルガ」シリーズの一枚で「農道」というタイトルの絵だ。髪を三つ編みにした女性の肩から上のうしろ姿が、画面の右寄りに見える。ほつれた髪が風になびき、画面の左にある農道が遠くの丘の上まで延びている。私は子供の頃から道の描いてある絵に惹《ひ》かれた。地平線や森の中に道が消えてゆくモチーフの絵があると、時間を忘れて眺めてしまう。あの道の向こうから、何かが現れそうな気がするし、自分もその道をたどってどこかに行けそうな気がするからだ。

ごとん、と電車が動きだした。せわしない日常生活がみるみる遠ざかっていく。

停車駅と、停車予定時間のアナウンス。

私は欠伸《あくび》をすると、誰も来そうにないので向かいの席に足を乗せ、ビールの缶を開けた。つまみは今朝コンビニで買ってきた、フライビーンズとチーズと、きんぴらごぼう。意外とうまい組み合わせなのに驚く。

電車のリズムは心臓の鼓動にも似て、だんだん夢見心地になってくる。

こうしてぼんやりと車窓からの風景を眺めるのが、私の至福の時だ。頭を空っぽにしていると、普段の生活の下にしまいこまれていたさまざまな追憶の波が押し寄せる。

叫びだしたくなるような記憶、切なくなるような記憶、いつのものかも分からない記憶。この状態に悦楽を感じると同時に、恐れも感じる。ずっと何日もこうしていたら、いつか自分の追憶に飲み込まれてしまうのではないか、と。自分の意識下にあるものに閉じ込められて、永遠にこの電車に乗ったまま夢を見続けているのではないか、と——

しかし、一方で、私は意識的にこれから会おうとしている友人のことを考えるのを避けているのに気づいていた。空になった缶を握りつぶすと、私はバッグから一枚の葉書と、旅館のパンフレットを取り出した。

宿は私の名前で取ってあります。出張先からそのまま行くので、部屋で待っててください。話したいことがたくさんあります。楽しみにしています。

筆圧の強い彼女の字に、彼女の声が聞こえる。話したいことがたくさんあります。この一文に、怯《おび》えを感じている自分が情けなかった。

彼女は幼馴染《なじ》みで、高校まで一緒だった。美しくて意志が強く、何でもできた。子供の頃から彼女を尊敬していたし、いつもついてまわっていた。しかし、成長していくに従って、彼女の人生に対する真摯《しんし》な態度が苦痛になってきた。私は平凡な、日々穏やかに過ごしていければ満足な人間である。彼女はそれをことあるごとに責めた。それが彼女の私に対する愛情だと頭では分かっていても、やはり私は傷つき萎縮《いしゅく》した。結果として、自分を鍛えることができなかった私は彼女を憎むようになり、遠ざかった。

彼女は頭のいい、カンのいい女性だったから、私がなぜ彼女から遠ざかっていったのか重々承知していたはずである。しかし、彼女はしつこく私を追ってきた。別々の大学に行き、離れたところで暮らしていても、夜中の電話、郵便受の手紙、突然の訪問。彼女の存在は脅威となった。ねえゆっくり話をしましょう、こんなふうに話せるのはあんただけだし、あんたが何を考えているのかを知りたいのよ。話をしましょう。

それって、天敵っていうのよ。

大学の友人は真面目《まじめ》な顔で言った。人生において、必ず一人は現れるのよね。あたしにもいる。戦うか、逃げるかしかないわ。なんたって天敵なんだから、あんたと彼女は食物連鎖のごとく閉じた関係でつながってるのよ、どうにかしないと一生天敵のまんまよ。

しかし、さすがに就職して互いに世事に追われるようになると、彼女からの連絡は疎遠《そえん》になり、さらに彼女が結婚するとその便りはぷっつり途絶えた。しょせん女どうしのつきあいなんてこんなものだ、と年に何回か彼女のことを思い出すたびに安堵《あんど》を伴った苦笑いがこみあげた。

仕事に追われ、部下を持つようになり、友人と年に数回海外旅行をし、会社の文句を言い、おいしいものを食べに行き、吹き出物や生理不順に悩み、親に小言を言われ、この人生は過ぎて行く——そして、ある日、郵便受に見たことのある文字を見つける。

離婚しました。会ってゆっくり話がしたいわ。

ひとつには、もう大丈夫だろうとたかをくくっていたということもある。自分も社会的にはそれなりに大人になったし、彼女に太刀打ちできると思ったのは確かだ。また、相手にもそれを期待したというのもある。つらい経験をして、彼女も変わったかも知れない、と。

だが、電話で彼女の第一声を聞いた瞬間から、たちまち何も変わっていないことを思い知らされ、すべては彼女のペースで話は進んでいた。いつのまにか、年末の旅行のために取っておいたはずの有給休暇を、彼女のために何日か使うことを約束させられており、彼女の出張のため、キャンセルできる期間はさっさと過ぎていった。

窓の外は、単調な田園風景が続いている。

昔、テレビのドキュメンタリー番組で見たのだが、中国に客家《ハッカ》という一族がいるそうだ。彼らは田舎の巨大な円筒形の建物で共同生活を営んでいる。その異様な建物は、彼らの家であり、砦《とりで》であり、町である。一階は家畜小屋や食堂など、人々の共用部分になっており、二階から上に家族単位で住んでいて、結婚すると一つの部屋が与えられる。建物の中は完全に自給自足であり、数百年もの歴史があるという。閉ざされた一つの王国。

それ以来、私は田園風景を見るたびに、無意識のうちに円筒形の建物を探していた。どこかにそんな小さな王国があるのではないか。全く違う時間の流れている、我々の価値観などふっとんでしまうような美しくて小さな国があるのではないかと。

疲れてるなあ、と溜め息をついて、コンビニの袋を開けると缶コーヒーを取り出す。

時間が経《た》つのは早い。特に、大学を卒業してからというもの、あっという間に年数が経ってしまった。平凡な人生だということをかねてから自覚していたものの、その平凡さは時にどうしようもない絶望と焦燥とを連れてくる。普段は平凡だという安楽さにどっぷりつかっているくせに、そういうものだけは鋭敏に感じとってしまう自分に嫌気がさす。

　そして、今夜また彼女に説教をされるのだ。真面目に生きている彼女、自分に恥じない人生を生きている彼女に。突然、これまでに感じたことのないほど深い憎しみを感じた。平凡に生きていくという大きな苦痛を背負って生きているのに、なぜ彼女にそれを罵倒《ばとう》されなければならないのだろう？


　松本駅に降りると、あまりにも山が近いのに改めて驚いた。こぢんまりした町に、硬質な空気が流れている。地方都市に行くといつも感じるのは、この言葉が適切かどうかは分からないが、『宗教的』な空気だ。東京にいる時には、色も形も違うたくさんの太陽があって、みんなが勝手にそれぞれの光を浴びているという感じだが、地方都市ではみんなが一つの太陽の光を仰いでいる、という感じがする。

　不意に、誰かの視線を感じた。

　思わず身を硬くして辺りを窺《うかが》う。学生や中年女性の旅行者の群れがのんびりと歩いているだけ。気のせいだろうか？

　勝手知ったる町だ。ぶらぶらと歩いて松本城へ向かう。子供の頃には、この町が世界のすべてだった。この年になると、町が箱庭のように思え、あんなに遠いところにあったはずの城がすぐそこにある。

小さな、黒いお城。旅行者たちに混じって城の中に入る。薄暗い、急な階段を登ると、運動不足の足がたちまち悲鳴を上げた。自分の心臓の音が耳元で聞こえる。懐《なつ》かしい、ほこりっぽい木の香り。押し入れの中の匂《にお》い。かくれんぼをしていて、押し入れで息をひそめ、自分の心臓の音を耳元で聞いている——

ようやく天守閣にたどりつく。四方に開いた小さな長方形の窓から、ぽっかりと市内が三百六十度見渡せる。汗がようやくおさまってきて、窓から入る風が心地《ここち》好い。

このお城、別名『烏城《からす》』と言うのよ。どうしてか知ってる？　このお城、夜になると飛ぶのよ。月のない闇夜《やみよ》に、一羽の大きな鳥になって、みんなが寝静まった夜を飛ぶんだわ。誰もそれを見たことがないの。今度一緒に見に行きましょう。あたしたちが大人になって、夜中まで起きていられるようになったら、大きな鳥が飛ぶのを見に行きましょう。

小学生の頃、彼女は私とこの城の前を通るたびにそう言った。それが彼女の単なる空想だと知ったのはずいぶんあとのことだった。私は長いことその話を信じていた。この城を見上げるといつも、城がむくむくと姿を変えて大きな鳥となって夜空に舞い上がるところを想像した。

ずいぶん大きな鳥だろうなあ、と町を見下ろしながら思った。そんなに大きな鳥が飛び立ったら、あまりの羽音のうるささにみんな目を覚ましてしまうに違いない。あたしたちは大人になり、夜中どころか一晩中だって起きていられるようになった。今の私と彼女は、鳥が飛び立つところを見ることができるだろうか？

軽く腹ごしらえをし、川べりにある老舗《しにせ》の民芸調の喫茶店でコーヒーを飲んだ。素朴なステンドグラスのはまった窓。店の奥では、常連と見える老人たちがゆったりとおしゃべりを交わしている。旅行の良さは、時間の流れの違うところだ。この一日が、普段のわさわさと忙しいあの一日と同じであるとは信じがたい。しかも、かつて住んでいた町というのはまた、独特の時間が流れていく。記憶の中にある時間の流れに少しずつ引き戻されていく。

彼女と待ち合わせをしている旅館は、ここから三十分くらいバスで山に入ったところにある。一軒宿で、いわゆる温泉街ではなく、雰囲気は良さそうだ。

バスの時間を調べていると、コツコツ、と耳元で音がした。

気に留めずにいると、再びコツコツ、という音が繰り返された。

顔を上げる。

窓にはまった緑色のガラスの向こうに、小さなこぶしの影が見えた。誰か窓ガラスを外から叩《たた》いているのだ。思わずぎょっとして飛びのいた。影はすっと窓から離れた。

私は立ち上がると、素通しになった上の方のガラスから外を見た。さっと長い髪の毛が翻《ひるがえ》るのが見えた。まさか、彼女では？　何してるんだろ、いったい？　ひょっとして、実は私が来るのを駅前で待っていて、こっそり後をつけていたのではないだろうか？　なぜ？

慌《あわ》てて勘定を済ませると、外に出た。青いワンピースを着た少女が角を曲がるのが見えた。少なくとも彼女ではない。小柄で、どう見ても、十三歳ぐらいにしか見えない。

小走りに後を追う。急に、電車の中で見かけた少女の後ろ姿を思い出した。あの時の女の子に似ている。同じ電車に乗っていた？　誰だろう？

角を曲がると、少女が道の途中の店に入るのが見えた。

足早にその店に近づく。有名な、大きな民芸品店だ。たくさんのガラスや陶器が窓越しに見える。私も店に入った。たくさんの棚に、天井近くまでところ狭しと民芸品が積み上げられている。若い女性客が思い思いに品物を物色していた。息を切らしながら少女の姿を探す。そんなに広い店ではない。

いない。そんなバカな。確かにここに入ったのに。

私はキョロキョロと店内を見回した。不審そうな顔の、店主と目が合う。

「ここに、中学生くらいの女の子が入ってきませんでしたか？　青いワンピースを着た」

店主はきょとんとして首を左右に振る。少女がこの店に入ったという確信はあったが、店主が嘘《うそ》を言っているようには見えなかった。第一、私に嘘をつく理由がない。

あぜんとしたまま店内を見回していると、壁にかかった額縁が目に入る。丸い木の額縁。中に写真が入っている。霧の中の野原の一本道を走って来る、幼い少女の写真。奇妙な気分になる。どこかで見たような。近寄って、まじまじと見る。再び、不思議そうな店主の視線にぶつかる。これをいただけますか、と言うと、売り物ではない、と断られた。


その木造三階建の旅館は、高台になった田圃《たんぼ》の中にぽつんと建っていた。

彼女はまだ着いていなかった。「仕事が長引いて、着くのが夜遅くなります」というメッセージが私を待っていた。びくびくしつつ彼女との対決に緊張していた私は気が抜けてしまった。先に風呂《ふろ》に入り、食事をした。

三階の座敷は、とても静かだった。由緒《ゆいしょ》のありそうな襖《ふすま》や高い天井には、古い絵が恨めしそうにびっしり描かれていて、この天井を見ながら眠ったりしたら、さぞかしいい夢が見られそうだ。広い座敷を屏風《びょうぶ》で区切り、客たちが食事をしていた。老夫婦のカップルや、どう見てもお忍び風のカップルばかりで、皆ひそひそと話をしながらゆっくり食事をしている。私だけがぽつんと食事をしていたが、不思議と孤独は感じなかった。

今ここに彼女がいたら、どんな話をしていただろう。

ぼそぼそと、隣で言葉を交わす男女の会話が聞こえてきた。

「あたしね、石灯籠《いしどうろう》が怖いの。子供の頃からずっと」

「石灯籠？　お寺や神社にあるあれのこと？」

「そう。もう、側《そば》を通ると、どきどきしちゃって。ほんとよ。冷や汗が出てきちゃうの。あまり自覚してなかったんだけど、修学旅行に行った時に初めて、ああ、あたしは石灯籠が怖いんだって気づいたの。あなた、靖国《やすくに》神社行ったことある？」

「靖国神社？　九段下にある？」

「ええ」

「ないなあ。なんで？」

「あそこ、すごいのよ、立派な石灯籠がずらーっと参道の両脇《りょうわき》に並んでてね。正面に立っただけでガーンとショックを受けちゃったわ。ほら、あそこ桜の名所でしょ？　花見のシーズンになると混むのよ。あたしも会社の花見で行ったんだけど、もう怖くて怖くて境内の中にも入れなかったわ。気分が悪いからって一人で帰ってきちゃったの」

「相当重症だね。何か思い当たる原因でもあるの？」

「その花見から帰ってきた晩に子供の頃の夢を見たの。それで思い出したのよ」

「昔何かあったわけだね。よくある話だ」

「あたし、人を殺したことがあったのよ」

「え？」

「あたしね、子供の頃、石灯籠を飛ばせたの」

「何言ってるんだ」

「ほんとよ。夢を見て思い出したわ。近所に、犬をけしかけて子供をいじめる嫌なおばあさんがいたの。大きな家に住んでるおばあさんでね。その家に大きな石灯籠があったの。ある日、一緒にいた友達がその犬に噛《か》まれたの。攻撃的な犬なのに、わざと子供の通りかかる時間に放すのよ。そのおばあさんが、友達が痛がるのを煙草《たばこ》を吸いながら見てるのが見えたわ。その時、すうっと石灯籠がまっすぐに宙に持ち上がってね。あれ、浮かんでる、と思った次の瞬間にはおばあさんの上に落ちてたわ」

「おまえ、冗談きつい女だな」

「あら、信じてくれないのね」

「酔っぱらったんじゃないのか。そろそろ部屋に戻ろう」

不思議な夜だった。

隣の空の布団《ふとん》を横目で見ながら、ぼんやりといろいろなことを考えた。

最後に彼女に会ったのはいつだったろう？　もう七年は経っている。彼女はどんな顔だったろう？　そう考えると、幼い頃の写真の顔は思い出せるのだが、成人してからの彼女の顔を思い出すことができないことに気がついた。彼女は美しかった。彫りの深くて、はっきりした意志の強さが表面に出ている顔。すらりと背が高く、小麦色の肌、黒くて長いまっすぐな髪――しかし、そう考えるそばから、言葉ばかりが空回りして、彼女の顔の部分はぽっかりと空白のままだった。

彼女を待ちながら、明かりをつけたまままいつのまにか眠った。

私は彼女と夜中の松本城を訪れていた。今夜こそ鳥になるのを見るのだ。じっと息をひそめて待つ。あたし、知ってるのよ、それは作り話だってこと。喉元《のどもと》までその言葉が出かかっていたが、隣の彼女がしっ、と口に指を当てた。目の前で何かが起きつつあった。

急に、ふうっとお城が呼吸をするようにふくらんだ。と、見る間にむくむくと嘴《くちばし》が飛び出し、ばさりと大きな羽が現れ、最後に二本の足が起き上がった。ほらね。彼女が小声で囁《ささや》く。そして、鳥は静かに音もなくふわりと漆黒の空に舞い上がった。

ついていくのよ。彼女は駆け出した。私もあとに続く。ふと空を見ると、たくさんの石灯籠が真っ暗な空に浮かんでいるのが見えた。たいへんだ！　逃げないと石灯籠に潰《つぶ》されてしまう。私と彼女は暗闇の中を黙々と走った。遠くの丘の上に白い洋館が見えた。開智《かいち》学校だ。かつて彼女とよくこの建物の周りでお姫様ごっこをしたものだ。丘の上に続く長い一本道を登っていく。懐かしい道。この道をたどっていけば、遠く懐かしい世界に入っていくことができる。丘の上に誰かが後ろ向きに立っていた。三つ編みにした、飴色《あめいろ》の髪。アンドリュー・ワイエスの「ヘルガ」だ。ああ、こんなところに。久しぶりねえ、会いたかったわ。彼女が振り返る。はっきりとした声で話しかける。

「先に行って待ってるから」

翌朝は素晴らしい天気だった。隣の布団は空のままだ。

白いテーブルクロスの眩《まぶ》しい、朝日の差し込む洋室で朝食を取りながら、私は寝不足の頭でぼんやりとしていた。

「お連れさん、どうしたんでしょうねえ」

イッセー尾形に似た宿の主人がのんびりと言った。そのとぼけた顔を見ているうちに、初めて不安が湧《わ》き上がってきた。

彼女がこの機会を逃すはずがない。何かが起きたのだ。

コーヒーを飲んで頭をはっきりさせてから、私はまず自分のアパートの留守番電話にかけてみた。何のメッセージも残っていない。彼女の実家の電話番号はアドレス帳に書いていなかった。そこで、自分の実家にかけてみることにした。下の妹が出る。

彼女から何か連絡が入っていないか聞いてみる。

受話器の向こうに一瞬沈黙が落ちた。よけい不安になる。

「彼女が来ないはずないのよ、事故にでもあったんじゃないかと思って」

「――おねえちゃん」

不審そうな声が聞こえる。

「なあに？」

「ねえ、何言ってるの、由紀子さんは去年亡《な》くなったでしょ。離婚問題がこじれて、自殺したんだって。うちにもおばさんから一周忌の案内の葉書が来てたよ」

「え」

頭の中が真っ白になった。

受話器の向こうで妹が何か言っているのが聞こえたが、私は言葉にならない言葉を飲み込んで、受話器を置いた。

どきんどきんと心臓が鳴っている。

何？　今のは？

私は混乱したまま逃げるように荷造りをして支払いを済ませると、外に出た。明るい、さわやかな山里の朝。抜けるような青空には白い絹雲が浮かび、木々の梢《こずえ》に柔らかな緑色の光がさしこんでいる。

何かの聞きまちがいだ。妹は誰か他の人と勘違いしているのだ。

バスに乗り込む頃には、落ち着きを取り戻していた。とにかく彼女は来なかった。もう、東京に帰ろう。ここにいる必要はない。彼女が何か言ってきても、もう休みが取れないからと、会うのは断ろう――

時刻表を見ようと広げた瞬間、旅館のパンフレットと彼女からもらった葉書がはらりと落ちた。ほらね、こうして彼女にもらった葉書があるんだもの。やっぱり妹は誰かと勘違いしてる。私は葉書を取り上げた。しかし、そこにあるのは私の知っている彼女の字ではなかった。毛筆書きの、由紀子の一周忌の日時を知らせる葉書が私の手の中にあった。


真っ青な空に、白い塔が伸びていた。

私は開智学校の前に立っていた。美しい洋館建築の博物館。

彼女はいつもお姫様。私は王子様の役。白いお城の周りで、花を摘み、日が暮れるまで遊んだ。

いったい何が起きているのだろう？　私はどうしたんだろう？

あまりの混乱に、頭はもう考えることを拒絶していた。全身が冷や汗でびっしょりだった。彼女と最後に電話で話したのはいつ？　一昨日？　三日前？　それとも一年前だったのだろうか？

私はふらふらと学校の中に入っていった。売店や展示室を通り抜け、とんとんと木の階段を登って二階に向かう。木の匂《にお》い。記憶を刺激する、懐《なつ》かしい匂い。踊り場の窓に、動いていく雲が見えた。眩暈《めまい》を覚えて、白い壁に寄りかかる。

私はここにいる。追憶の波に飲み込まれる。ここにこうして寄りかかって、いつまでも流れる雲を見続ける――

ことん、という音がした。

はっと下を見下ろすと、見覚えのある青いワンピースの少女がさっと階段を降りていくのが見えた。

「待って」

思わず叫んでいた。

ぎしぎしと音をたてて、少女が階段を降りていく音が聞こえる。

地下室？

私は慌てて後を追った。

降りても降りても階段は終わらなかった。一階の下に、さらに階段が続いていた。

暗い闇《やみ》の中に、階段が見える。

「待って」

ギッ、と誰かが立ち止まる気配がした。静かな息遣い。

私は一歩一歩階段を降りていった。懐かしい闇の中へ。

「そこにいるのは誰？」

誰かがそこに立っていた。柔らかな、髪の長い女性の気配。

どこかから、細い光がさしこんでいた。光線の中にきらきらとほこりが浮かんでいるのが見え、その奥に長い髪の毛が見え、成熟した女性の肩の線が見えた。

「――由紀子？」

細い光の中で、彼女がにっこりと微笑《ほほえ》んでこちらを見上げた。

「ええ」

懐かしい声がした。

「待ってたわ」

電車のベルが鳴り響く。

「お待たせー由紀子」

彼女がお弁当を抱えて駆け込んできた。いつもギリギリなんだから。私は、いつのまにかうとうとしていたらしい。

「遅いわよ。妊婦をハラハラさせないでよね」

「ごめんごめん。しかし、よくこのおなかで電車乗ろうと思うよね」

彼女がぺちっと私のおなかを叩《たた》いた。一週間後が予定日だ。

「しょうがないじゃない。もっと早く帰るつもりだったんだけど店が忙しくて」

「しかし、あんたもよくやるよね、今時病院で産まないなんて。怖くないの？」

「でも、最近なんじゃない、女がみんな病院で出産するようになったのなんて。人が死ぬのもそう。生まれるのも死ぬのも病院。ちょっと前まではみんな自分のうちで産んで、自分のうちで死んでたのよね」

「それもそうだ。でも、この電車の中で産むのはやめてよね。あたし、取り上げる自信ないもん」

彼女は大きなカメラの入ったバッグを大事そうに置きなおした。売り出し中の写真家である彼女は、私が実家のある福島に帰って産婆《さんば》さんのところでお産をすると言ったら、写真を撮らせてくれないかと言い出したのだ。

「――今ね、あたし変な夢見てた」

私は窓の外を見ながら言った。

「どんな？」

彼女はみかんを取り出して私に渡した。

「目が覚める寸前に忘れてしまって、うまく話せないんだけど、懐かしい夢。あたしとあんたがどこか別の世界にいて、そこでも友人だったって夢だったような気がする」

「ふうん。腐れ縁なわけね、あたしたちって」

彼女は興味なさそうに、雑誌に没頭しはじめた。

私は今見ていた夢を再構築しようと試みた。不思議な夢だった。夜のお城。黒いお城が一羽の烏《からす》になって空へ舞い上がる。それをあたしと彼女とで見上げている。二人で長い道を駆けていく――奇妙な懐かしさ。

「名前決まってるの？　今年はオリンピックがあったから、『聖』って字をつける人が多いそうよ」

「うーん。いろいろ候補は考えてるんだけど」

産まれてくる子供。その子はどんな世界を見るのだろう。最初に見るものは何だろう。

「――僕は、円筒形の大きな建物の中にいる。子供や、年寄りや、犬や猫や、家畜もいる。お粥《かゆ》の甘い匂い。ずいぶん長いことその中で暮らしていたような気がする。雨の日には、みんなが部屋の中から外を眺めている。ずいぶんたくさんの人がいた。建物の外には、畑や田圃《たんぼ》が広がってた。僕もいずれはこの建物を出ていかなければならない。そういう予感に、僕は少し淋《さび》しい気持ちでいる――」

それが行われるのは、霧雨の朝。肌寒い日曜日の午前中、アップライトピアノのある部屋のソファに腰かけて。

または、雨上がりの夕方、再び明るい陽射《ひざ》しが戻ってきた、雨の匂いのする縁側。

あるいは、深夜でもいい。凍りつきそうな寒い夜、コンサートやパーティーの帰り道に、コツコツと石畳の上の長い道のりを歩きながら。

「さあ、『懐かしい』気分になってくれたかい？」

懐かしさ。この不思議な感情はどこからやってくるのだろう。この謎《なぞ》めいた、意味もないくせに胸を締めつけられるような奇妙な感情に、なぜこんなにも心をかき乱されるのだろう。

「――僕は、夜中の大きな神社にいる。すごく立派な神社だ。僕より背丈のある巨大な石灯籠《いしどうろう》がずらりと両脇《りょうわき》に並んでいる。なぜか怖くて、僕は先に進めない。僕がここへ足を踏み入れると、きっと恐ろしいことが起きるからだ。それが何かは分からない。でも、僕は後ろから誰かに追われていて、どうしてもこの参道を通り抜けなければならない。心はせいているのに、足は金縛りにあったように動かない。でも、後ろに迫ってくる何者かの気配に押されて、とうとう足を神社の境内に踏み入れる。そうすると、ゴトッ、という音がして、ふと気がつくと、闇の中にたくさんの石灯籠が浮かんでいる――」

さあ、もっと。もっと、もっとだ。

懐かしさ、それだけが僕たちの短い人生の証拠だ。数々の記憶が僕たち一人一人を作っている。記憶の中の懐かしい人々、懐かしい風景、僕たちの愛した人たち、僕たちを愛した人たち、それらが僕たちのすべてなのだ。僕たちは懐かしいものについて語り続けなければならない。それだけが僕たちの存在を証明する手がかりなのだから。

「――今度は、僕の番だ」

あとがき

今年でデビュー十年目を迎えることとなった。
どちらかと言えば長編や連作をメインにやってきたので、ここに集めたようなノン・シリーズの短編集は初めてである。読み返してみて、自分で言うのもなんだが、意外と統一感があるなと思った。長編ではめったに使わない一人称が多いことにも驚いた。まずは先入観なしに読み通してもらえれば嬉《うれ》しい。ここには、おのおのの短編の生まれた背景をメモしてみようと思う。

「春よ、こい」

井上雅彦氏監修「異形コレクション」シリーズの一つ、『時間怪談』というテーマのために書いたもの。タイトルは言わずと知れた曲名だが、童謡ではなくユーミンの方。書いている時、ＢＧＭで頭の中に流れていた。

「茶色の小壜《こびん》」

津原泰水《やすみ》氏監修『血の12幻想』のために書いたもの。シオドア・スタージョンの『きみの血を』が念頭にあり、ああいうドキュメンタリー・タッチ（？）のホラーというコンセプトで書いてみた。タイトルはこれまたグレン・ミラーなどでおなじみのアメリカのフォークソング。

「イサオ・オサリヴァンを捜して」

インターネット上の雑誌「ＳＦオンライン」のために書いたもの。私は去年までパソコンを持っていなかったので、掲載されたものはわざわざ印刷してもらって受け取った。ネット上では田中光さんのかっこいいイラスト付きで読めます。元々大長編ＳＦ『グリーンスリーブス』の予告編として書いたもの。

「睡蓮《すいれん》」

女性をテーマにしたアンソロジー『蜜《みつ》の眠り』のために書いたもの。『麦の海に沈む果実』（講談社刊）に登場する水野理瀬の幼年時代。

「**ある映画の記憶**」

密室をテーマにしたアンソロジー『大密室』のために書いたもの。この作品は半ば実話。

一色次郎の小説『青幻記』、映画『青幻記』は実在する。どちらも名作なので、読んで、観《み》てみてください。


「**ピクニックの準備**」

これは『夜のピクニック』という大長編の予告編として一日で書いたもの。「小説新潮」の新世紀新年号の短編として書いたのだが、独立した短編でないとまずいということで没になった。それで、翌日やはり一日で書いたのが「オデュッセイア」である。


「**国境の南**」

これはホラー短編をという依頼で「週刊小説」のために書いたもの。自分の中では「茶色の小壜」とシリーズになっていて、これもまたドキュメンタリー・ホラーのつもり。このシリーズはどれも曲名で行こうと思い、今回はラテン乗りのスタンダード・ナンバーのタイトルから取った。

白状すると、この話には元ネタがある。かつて新書館から出ていたフォアレディース・シリーズの中に、立原えりか氏の『恋する魔女』という大人の女の毒をテーマにした短編集があって、その一つにこの話のアイデアがあった。それはウエイトレスの独白という形だったのだが、同じアイデアをアレンジしたのがこれである。でも、このアイデアって昔の映画や翻訳ものにもあったような気がする。古典的なテーマなのかもしれない。


「オデュッセイア」

「小説新潮」新世紀新年号の短編として書いたもの。

もともとこの話のアイデアを思いついたのは、不動産会社に勤務していた頃、ある新宿区のマンションを訪れた時だった。そのマンションは歪《ゆが》んだ輪ゴムのような形をしていて、細長い中庭を囲み、敷地の関係か凸凹が多い大所帯のマンションで、通路や階段を歩いていると、今自分が何階にいるのか、どの場所にいるのか分からなくなる不思議なマンションだった。その時、こういう九龍《クーロン》城みたいなマンションが一つの共同体としてあって、踊り場に露店や飲食店があって、ついでにマンション自体がゴトゴト砂漠の上かなんかを移動していったら面白いだろうなあと考えたのである。それ以来、旅する城塞《じようさい》都市の話のイメージが頭の中にあり、いつかはそういう都市の年代記を書きたいと思っていた。その年代記を二十枚余りに圧縮したのがこれである。


「**図書室の海**」

これは今回の短編集のための書き下ろし。『六番目の小夜子』の番外編ということで、関根秋の姉、夏のエピソードです。


「**ノスタルジア**」

「ＳＦマガジン」の女性作家ホラー特集のために書いたもの。

その時、編集長に他のメンバーは誰かと聞いたら、皆川博子《ひろこ》氏、森真沙子《まさこ》氏、篠田《しのだ》節子氏ということだった。そこで、私は他の執筆者の書く内容を予想して、それとは違うものにしようと考えた。私は、皆川氏は伝奇もの、森氏は女の情念もの、篠田氏は近未来ＳＦものであろうと予想した。森氏、篠田氏はほぼ予想通りだったが、その時の皆川氏の作品があの衝撃の問題作「結ぶ」である。一読してぶっとび、「参りました」と平伏したことをよく覚えている。

というわけで、その時私が書いたのがこれ。この短編集の中では一番古いものだが、とても私らしく、なんだか原点っぽいなあと思う。

恩田 陸

二〇〇二年一月

解説

山形浩生

最近の映画館、特にロードショー館は入れ替え制になってしまったところが多いのだけれど、昔はそういう野暮なことはなかった。いつでも入れていつでも出られる――それが芝居なんかとちがう映画のよさでもあった。途中から入って、終わりのほうを見てから冒頭に戻る。ラストを見て、こんな話に収束してくるまでにどんな展開があったのか、どんなひねりがあったのか、それを各種の思わせぶりなせりふやちょっとした画面のヒントから推測する。それは、答えから問題を導くような、ちょっと倒錯した楽しみだ。そして冒頭に戻ってからは、頭の中で始点と終点をつなぐ多様な可能性の糸がだんだん棄却されて収束するのが感じられる。それは、作者の思惑通りに流されていくのとはまったく別の、自分で世界を構築しなおすような喜びではある（だからぼくはネタバレとかいうくだらないことで大騒ぎする馬鹿《ばか》な人々がまったく理解できない、というか理解できるけれど浅はかでつまらない連中だと思う）。もちろんときにはまったくこちらの予想がはずれ、こんな馬鹿など都合主義があるものか、と思っていたラストにすばらしい冒頭部や展開がついていたり、逆に見事な終わり方の映画の導入部がひたすらごちゃごちゃしていてダメだったりする場合もあるのだけれど。

そしてその間に予告編が大量にはさまる。予告編も（その使命からして当然のことではあるのだけれど）実際の作品とはかなりちがう。いいところだけつなげ、期待をもりあげようとする。そして……予告編を見たときに頭の中に生まれた予想映画と、後日実際に見た映画とは往々にしてまったく別物だったりする。予告編では実に意味ありげで重要そうに使われていた一場面やせりふが、実際の映画ではただのつなぎ以上のものではなかったり。予告編の力点が実際の作品とはまったくちがっていて面食らったり。予告編を見ながら、ぼくの頭の中ではいくつか細部のぼんやりした映画ができあがっている。そしてその脳内映画を信じて数ヶ月後にいそいそと映画館にでかけ、実物を見る。そのときに予告編から編み上げた自分だけのあの映画が、ポロポロと剝落《はくらく》する壁のように崩れていって、愕然《がくぜん》とすることさえある。こんなはずじゃない、こんな映画じゃない、おれが夢見ていたあの映画は、こんなものじゃなかったはずなのに！　だがその間もリールはまわり続け、映画はあらぬ方向に向かって勝手に突っ走り、ぼくは裏切られたような、だれを責めたらいいのかわからない気持ちで（というより、だれも責めるわけにはいきませんがな）暗がりの中に座っている。そして見終わったあとも、あの予告編に登場した各種のかけらで構成された、そうあったかもしれない映画、あり得たかもしれない映画の幻が、どこかに漂い続けているのが感じられる。

もちろん逆もある。ぼくの貧相な脳内映画なんか問題にならないくらいのすさまじい代物《しろもの》がスクリーンで展開され、他の可能性が一切かき消されてしまうこともある。そういうとき、かつて予告編で見たパーツはすべて、自分には予想もつかなかった、でも今にしてみればこれ以外にはあり得ないという組み合わせで一分の隙《すき》もなく展開され、そのほかの可能性が一気に消滅してしまうのだ。それでも時に、ふとかつて漂っていた別の映画が思い出されることがある。特に、別の場所でまたその予告編に出くわしたときなど。実物にはかなわないけれど、でもまったくありえなかったわけじゃないような、物語空間の片隅として。

さてそこのあなた。本書は、恩田陸の予告編コレクションのような性格を持った本ではある。あなたが恩田陸のよき読者であるなら、本書を読んであなたは多くのなじみ深い人々や場面に出くわすことだろう。あなたは、ここに出てきた人々や場面と、自分のかつて読んだことのある別の物語とをつなげることができるはずだ。あるものは、かつての物語に含まれていた隙間を埋めるものだったりする。そしてあるものは、かつて読んだ物語に先立つものだ。ここから、あそこまでの無数の道筋をあなたは思い浮かべることができるだろう。いや、それができなければ、そもそも小説なんか読む意味はないのだ。

そしてもしあなたが恩田陸のよき読者でないなら――これまで彼女の小説をあまり読んだことがないのであれば――この本を読むのはなかなかにおもしろい体験となるかもしれない。通常の小説を読むという、本来であればとりあえずはそこだけで完結する体験に加えて、本書の作品の多くには、それぞれ続きというか本編がある。いったい、本書で予告されている「本編」はどんなものだろうか？　あなたはそれを思い描くことになる。

本書で初めて恩田陸の本を手にする人は、いったいどのくらいいるのだろう。数千人？　数万人？　切りのいいところで仮に一万人としようか。そのそれぞれが、本書の短編それぞれにつながる「本編」を潜在的に胸に抱くことになる。するとざっと十万編。十万の、あり得たかもしれない恩田陸の長編が、人々の頭の中に生まれることになる。え、本書には本編がない独立した短編もあるって？　それはその通り。だが実は本書で明示的に「予告」されている小説の中には、未だに書かれていないものもあるようなのだ。たとえば「イサオ・オサリヴァンを捜して」が予告しているはずの小説とか、あるいはクリストファー・プリースト『逆転世界』みたいな「オデュッセイア」の世界とか。それならば逆に、明示的に予告されていないけれど、いつかこの短編をもとに生まれ出てくるかもしれない長編だって、十分に考えられるのだ。たとえば「茶色の小壜《こびん》」の主人公の過去、そして未来を描くような長編はすぐに想像できる。彼女がどこからきて、どこへ行くのか？　そんな小説に興味はないだろうか？　その意味で、これは恩田陸の既存の読者も十分に参加できるゲームだったりする。あなたはこの作品たちをどう広げてゆくだろうか。

ホルヘ・ルイス・ボルヘスというアルゼンチンの作家が、「バベルの図書館」という小説を書いた。その図書館には、有限の文字のすべての組み合わせが存在している。したがって、その図書館には論理的にいえばあらゆる書物が存在していることになる。そのバベルの図書館のどこかには、この『図書室の海』が置かれていることだろう。だがそれと同時に、本書の読者たちが思い描いた十万通りの本も、みんなそのどこかにある。あなたが思い描いたものも。ぼくが思い描いたものも。そしてそれらは、一方で恩田陸の書いた／書きつつある／書くかもしれない作品と対峙《たいじ》しつつ、一方でそれとはまったく独立した存在としてバベルの図書館の棚にすわっているのだ。

いつの日かその作品が登場したとき——すでに書かれた作品をあなたが手に取ったり、あるいは未だ書かれぬ作品がいつか実際に書かれたとき——それはそのバベルの図書館に並ぶ、ぼくたちの脳内作品を上回るものとなっているだろうか？　多くの場合には、当然答えはイエスだろう。予告編からぼくが思いついた脳内作品が映画館で実際の名作を前に一瞬にして消え失《う》せるように、十万冊のほとんどは、自分の相対的な貧相さをあらわにされて、一瞬恥ずかしげな表情を浮かべながら閉じられ、もはやだれにも思い出されることのないままその図書館の棚でホコリをかぶり続けることとなるだろう。だが、どうだろう。その十万冊の中で三冊くらいは、実際の恩田陸を上回る恩田陸作品になり得るのではないか、なんてことをぼくは妄想してみたりする。恩田陸にも想像のつかなかった、まったく別の恩田陸の世界があり得るんじゃないか。本書はそんな広大な可能性の海へと通じる、ちょっとかわった窓口でもあるのだ。

（平成十七年五月、評論家・翻訳家）

初出一覧

春よ、こい　『時間怪談』（一九九九年、廣済堂出版刊）
茶色の小壜　『血の12幻想』（二〇〇〇年、エニックス刊）
イサオ・オサリヴァンを捜して　「ＳＦオンライン」（一九九八年十月二十六日号）
睡　蓮　『蜜の眠り』（二〇〇〇年、廣済堂出版刊）
ある映画の記憶　『大密室』（一九九九年、新潮社刊）
ピクニックの準備　書下ろし
国境の南　「週刊小説」（二〇〇〇年八月二十五日号）
オデュッセイア　「小説新潮」（二〇〇一年一月号）
図書室の海　書下ろし
ノスタルジア　「ＳＦマガジン」（一九九五年八月号）

この作品は平成十四年二月新潮社より刊行された。
ただし、「ある映画の記憶」は、有栖川有栖ほか著
『大密室』（新潮文庫）にすでに収録されている。

恩田陸著　球形の季節

奇妙な噂が広まり、金平糖のおまじないが流行り、女子高生が消えた。いま確かに何かが大きく変わろうとしていた。学園モダンホラー。

恩田陸著　六番目の小夜子

ツムラサヨコ。奇妙なゲームが受け継がれる高校に、謎めいた生徒が転校してきた。青春のきらめきを放つ、伝説のモダン・ホラー。

恩田陸著　不安な童話

遠い昔、海辺で起きた惨劇。私を襲う他人の記憶は、果たして殺された彼女のものなのか。知らなければよかった現実、新たな悲劇。

恩田陸著　ライオンハート

17世紀のロンドン、19世紀のシェルブール、20世紀のパナマ、フロリダ……。時空を越えて邂逅する男と女。異色のラブストーリー。

小川洋子著　薬指の標本

標本室で働くわたしが、彼にプレゼントされた靴はあまりにもぴったりで……。恋愛の痛みと恍惚を透明感漂う文章で描く珠玉の二篇。

小川洋子著　まぶた

15歳のわたしが男の部屋で感じる奇妙な視線の持ち主は？　現実と悪夢の間を揺れ動く不思議なリアリティで、読者の心をつかむ8編。

宮部みゆき著

魔術はささやく

日本推理サスペンス大賞受賞

それぞれ無関係に見えた三つの死。さらに魔の手は四人めに伸びていた。しかし知らず知らず事件の真相に迫っていく少年がいた。

宮部みゆき著

レベル7《セブン》

レベル7まで行ったら戻れない。謎の言葉を残して失踪した少女を探すカウンセラーと記憶を失った男女の追跡行は……緊迫の四日間。

宮部みゆき著

返事はいらない

失恋から犯罪の片棒を担ぐにいたる微妙な女性心理を描く表題作など6編。日々の生活と幻想が交錯する東京の街と人を描く短編集。

宮部みゆき著

龍は眠る

日本推理作家協会賞受賞

雑誌記者の高坂は嵐の晩に、超常能力者と名乗る少年、慎司と出会った。それが全ての始まりだったのだ。やがて高坂の周囲に……。

宮部みゆき著

本所深川ふしぎ草紙

吉川英治文学新人賞受賞

深川七不思議を題材に、下町の人情の機微とささやかな日々の哀歓をミステリー仕立てで描く七編。宮部みゆきワールド時代小説篇。

宮部みゆき著

かまいたち

夜な夜な出没して江戸を恐怖に陥れる辻斬り〝かまいたち〟の正体に迫る町娘。サスペンス満点の表題作はじめ四編収録の時代短編集。

綾辻行人著　霧越邸殺人事件

密室と化した豪奢な洋館。謎めいた住人たち。一人、また一人……不可思議な状況で起る連続殺人！　驚愕の結末が絶賛を浴びた超話題作。

綾辻行人著　殺人鬼

サマーキャンプは、突如現れた殺人鬼によって地獄と化した——驚愕の大トリックが仕掛けられた史上初の新本格スプラッタ・ホラー。

荻原浩著　コールドゲーム

あいつが帰ってきた。復讐のために——。4年前の中2時代、イジメの標的だったトロ吉。クラスメートが一人また一人と襲われていく。

有栖川有栖著　絶叫城殺人事件

「黒鳥亭」「壺中庵」「月宮殿」「雪華楼」「紅雨荘」「絶叫城」——底知れぬ恐怖を孕んで闇に聳える六つの館に火村とアリスが挑む。

角田光代著　キッドナップ・ツアー

産経児童出版文化賞フジテレビ賞
路傍の石文学賞

私はおとうさんにユウカイ(=キッドナップ)された！　だらしなくて情けない父親とクールな女の子ハルの、ひと夏のユウカイ旅行。

角田光代著　真昼の花

私はまだ帰らない、帰りたくない——。アジアを漂流するバックパッカーの癒しえぬ孤独を描いた表題作ほか「地上八階の海」を収録。

新潮文庫最新刊

宮城谷昌光著
風は山河より（一・二）
すべてはこの男の決断から始まった。後の徳川泰平の世へと繋がる英傑たちの活躍を描く歴史巨編。中国歴史小説の巨匠初の戦国日本。

垣根涼介著
借金取りの王子
―君たちに明日はない2―
リストラ請負人、真介に新たな試練が待ち受ける。今回彼が向かう会社は、デパートに生保に、なんとサラ金!?　人気シリーズ第二弾。

垣根涼介著
ワイルド・ソウル（上・下）
大藪春彦賞・吉川英治文学新人賞・日本推理作家協会賞受賞
戦後日本の〝棄民政策〟の犠牲となった南米移民たち。その息子ケイらは日本政府相手に大胆な復讐劇を計画する。三冠に輝く傑作小説。

江國香織著
ウエハースの椅子
あなたに出会ったとき、私はもう恋をしていた。出会ったとき、あなたはすでに幸福な家庭を持っていた。恋することの絶望を描く傑作。

佐藤多佳子著
ごきげんな裏階段
古いアパートの裏階段に住む不思議な生き物たちと、住人の子供たちの交流。きらめく感情と素直な会話に満ちた、著者の初期名作。

椎名誠著
銀天公社の偽月
脂まじりの雨の中、いびつな人工の月が街を照らす。過去なのか、未来なのか、それとも違う宇宙なのか？　朧夜脂雨的戦闘世界七編。

図《と》書《しょ》室《しつ》の海《うみ》

新潮文庫　お－48－5

平成十七年七月一日発行
平成二十一年十一月十五日十七刷

著者　恩《おん》田《だ》陸《りく》
発行者　佐藤隆信
発行所　株式会社新潮社

郵便番号　一六二―八七一一
東京都新宿区矢来町七一
電話　編集部(〇三)三二六六―五四四〇
　　　読者係(〇三)三二六六―五一一一
http://www.shinchosha.co.jp

価格はカバーに表示してあります。

乱丁・落丁本は、ご面倒ですが小社読者係宛ご送付ください。送料小社負担にてお取替えいたします。

印刷・大日本印刷株式会社　製本・加藤製本株式会社

ISBN978-4-10-123416-8 C0193